Como encontrei o Messias

Como encontrei o Messias

Minha jornada pela identidade judaica do evangelho

JENNIFER M. ROSNER

Traduzido por Susana Klassen

MUNDO CRISTÃO

Copyright © 2022 por Jennifer Marie Rosner
Publicado originalmente por InterVarsity Press, Downers Grove, Illinois, EUA.

Os textos das referências bíblicas foram extraídos da *Nova Versão Transformadora* (NVT), da Tyndale House Foundation, salvo as seguintes indicações: *Tree of Life Version* (TLV), da Messianic Jewish Bible Society; *Almeida Revista e Corrigida* (ARC), da Sociedade Bíblica do Brasil; e *Nova Versão Internacional* (NVI), da Bíblica, Inc.

Todos os direitos reservados e protegidos pela Lei 9.610, de 19/02/1998.

É expressamente proibida a reprodução total ou parcial deste livro, por quaisquer meios (eletrônicos, mecânicos, fotográficos, gravação e outros), sem prévia autorização, por escrito, da editora.

Edição
Daniel Faria

Revisão
Natália Custódio

Produção
Felipe Marques

Diagramação
Marina Timm

Colaboração
Ana Luiza Ferreira
Raquel Carvalho Pudo
Raquel Xavier

Capa
Rafael Brum

CIP-Brasil. Catalogação na publicação
Sindicato Nacional dos Editores de Livros, RJ

R735c

   Rosner, Jennifer M.

   Como encontrei o Messias : minha jornada pela identidade judaica do evangelho / Jennifer M. Rosner ; tradução Susana Klassen. - 1. ed. - São Paulo: Mundo Cristão, 2024.
   256 p.

   Tradução de: Finding messiah: a journey into the jewishness of the gospel
   ISBN 978-65-5988-271-7

   1. Cristianismo - Origem. 2. Movimento Judaico Messiânico. 3. Cristianismo e outras religiões - Judaísmo. I. Klassen, Susana. II. Título.

23-86520   CDD: 261.26
                                               CDU: 26-32

Gabriela Faray Ferreira Lopes - Bibliotecária - CRB-7/6643

Publicado no Brasil com todos os direitos reservados por:
Editora Mundo Cristão
Rua Antônio Carlos Tacconi, 69
São Paulo, SP, Brasil
CEP 04810-020
Telefone: (11) 2127-4147
www.mundocristao.com.br

Categoria: Espiritualidade
1ª edição: janeiro de 2024

Este livro é dedicado a meus pais,
cujo amor e apoio de fato não têm limites.

MAMÃE,
*você não tem medo de fazer as difíceis perguntas
relacionadas à fé e nunca deixa de encher meus filhos
de admiração.*

PAPAI,
*você dá exemplo diário de humildade e integridade,
e sempre tem tempo para mais um jogo de Candyland com
as crianças.*

Somos imensamente gratos a vocês dois.

Sumário

Prefácio de Richard J. Mouw — 9
Introdução: Sobre ser monstruoso — 13

1. A separação — 19
2. O meio-termo excluído — 33
3. Perdido na tradução — 47
4. Jesus e a pureza ritual — 59
5. "A terra que eu lhe mostrarei" — 75
6. Corpo — 90
7. Pecado e queda — 106
8. Sábado — 123
9. O Espírito — 139
10. Dias sagrados — 155
11. A ex-esposa de Deus — 170
12. Paulo — 186
13. Um caminho para prosseguir — 204

Epílogo: O evangelho judaico — 222
Agradecimentos — 227
Perguntas para reflexão ou discussão — 229
Glossário de termos judaicos e hebraicos — 235
Notas — 243

Prefácio

Richard J. Mouw

Ao ler o relato de Jen Rosner acerca do que sua identidade judaica significa para sua fé em Cristo, fui levado a refletir sobre minha própria vida e jornada. Peguei-me voltando a momentos e relacionamentos importantes que deram forma a meu entendimento dos temas fundamentais dos quais ela trata.

O primeiro relacionamento do qual me lembrei foi da época em que tinha 13 anos e fazia parte de um Grupo Escoteiro. Ali, fiz amizade com Bobby Silverstein, o único menino judeu da tropa. Toda reunião do grupo começava com a recitação, por todos nós, da "Lei Escoteira". Para a maioria dos outros, parecia um exercício rotineiro, mas Bobby e eu gostávamos de conversar sobre o que a lista de virtudes que recitávamos significava para nossa jovem existência. Certa vez, Bobby comentou comigo que não sabia por que Deus exigiria que um escoteiro judeu fosse "alegre", tendo em conta todas as coisas horríveis que os nazistas haviam feito ao povo judeu. Concordei com ele e cheguei à conclusão de que Deus estava pedindo que eu também me angustiasse com essa ideia.

Outras amizades que eu tinha vivenciado ao longo do caminho continuaram a voltar à memória enquanto eu lia o livro de Jen. No entanto, o tema teológico central a respeito do qual ela me obrigou a pensar em maior profundidade do que eu havia desejado até então foi a "teologia da substituição". Certa vez, eu apoiei essa perspectiva em algo que escrevi, e observei nesse texto que o apóstolo Pedro se refere à igreja do Novo Testamento como "povo escolhido" e "nação santa", usando imagens outrora aplicadas aos antigos israelitas e atribuindo-as, agora, à comunidade de seguidores gentios e judeus de Jesus. Eu havia proposto que isso significava que nós, cristãos, agora somos o "novo Israel", os beneficiários das bênçãos da aliança que, em outros tempos, haviam sido prometidas ao "antigo Israel".

Depois de desenvolver essa argumentação na década de 1970, comecei a questionar os conceitos de substituição. Parte considerável da mudança em minha forma de pensar se deveu simplesmente ao fato de aprender com fontes judaicas: os romances de Chaim Potok, os textos éticos de Martin Buber, as ricas exposições da literatura profética bíblica de Abraham Joshua Heschel e as ideias esclarecedoras durante almoços *kosher* com amigos rabinos. Aos poucos, comecei a entender que a aliança de Deus com os cristãos gentios não substitui a aliança mais antiga com Israel, mas sim que a igreja foi "enxertada" no antigo povo da aliança de Deus.

Para mim, essa foi uma mudança importante, mas deixou uma porção de coisas em estado de indefinição. Algumas questões fundamentais que escolhi ignorar estavam sendo articuladas por judeus messiânicos, mas considerei-as complexas demais para investigá-las. E quanto aos seguidores judeus de Yeshua que observam os mandamentos da Torá para o povo judeu e os entendem como perenes, e não como instruções substituídas por particularidades da nova aliança? Como a comunidade evangélica deve se relacionar com os judeus messiânicos? Como os primeiros cristãos entendiam a prática observada por eles de continuar a adorar nas sinagogas? E de que, afinal, Paulo está falando em Romanos 9?

Eu havia me contentado em deixar todas essas questões em aberto, mas, ao ler o livro de Jen, percebi que ela não permitiria que eu permanecesse indiferente. Para Jen, tratar desses assuntos significou enfrentar lutas complexas e, por vezes, angustiantes, e esse fato me obrigou a encará-los com seriedade.

Conheci Jen quando ela começou o doutorado no Seminário Fuller. Ela me contou que, como seguidora judia de Jesus, estava interessada em usar a teologia de Karl Barth para explorar temas do judaísmo. Quando lhe perguntei, de passagem, se ela era judia messiânica, ela fez uma pausa antes de dizer que essa pergunta estava se tornando algo importante em sua vida.

Durante o tempo de Jen em Fuller, percebi as dificuldades que ela enfrentava e com as quais se angustiava quando participava de eventos inter-religiosos para os alunos do seminário em que a relação entre judeus e cristãos era um foco proposto. Na maior parte das vezes, porém, observei-a à distância e li monografias que ela escreveu relacionadas à pesquisa para sua dissertação, textos em que ela abordava de forma crítica conceitos de estudiosos judeus e cristãos.

Agora, ao acompanhar sua jornada nestas páginas, vejo que seu envolvimento com esses estudos teológicos a influenciou não apenas como estudante no doutorado, mas também como professora, esposa e mãe e como participante da comunidade judaica que segue Jesus, uma comunidade seriamente mal compreendida teológica e espiritualmente, tanto por cristãos quanto por judeus.

É verdade, portanto, que Jen Rosner me obrigou a lidar com temas que, por muito tempo, eu me dispus a ignorar e sobre os quais, agora, continuarei a refletir. Tenho certeza de que seu excelente livro motivará outros a embarcar nessa mesma jornada. Jen ainda tem perguntas para as quais está buscando respostas; trata-se de uma jornada em andamento para todos nós. Por ora, contudo, posso expressar profunda gratidão porque ela me instigou a dar alguns novos passos ao longo desse caminho!

Introdução

Sobre ser monstruoso

É monstruoso falar de Jesus
e praticar o judaísmo.

INÁCIO DE ANTIOQUIA

A Igreja Episcopal de São João é um edifício de arenito situado discretamente na equina das ruas Orange e Humphrey em New Haven, Connecticut, a seis quadras de meu apartamento. Desde a mudança para New Haven no ano anterior, havia visitado várias igrejas, mas nenhuma parecia ter a combinação de elementos que eu buscava. Fiquei um tanto receosa de ir a essa igreja, pois vários de meus professores do Departamento de Teologia de Yale a frequentavam, e parecia estranho bater papo com eles "informalmente" enquanto comíamos bolo e tomávamos café depois dos cultos (e eu me perguntava se tinham lido minha monografia e se eu havia caracterizado com exatidão a teologia de Karl Rahner).

Visitei a Igreja de São João pela primeira vez perto do final de 2004. Foi minha primeira experiência com a tradição episcopal, e passei o culto inteiro tentando acompanhar o que estava acontecendo. Levantar, sentar, livro vermelho, livro azul, ajoelhar, recitar respostas da congregação. Não saquei nada da fluência nem da ordem meticulosa da liturgia, e fiquei perplexa que alguém pudesse encontrar significado em um culto desse tipo.

Alguns anos antes, eu havia me tornado seguidora de Jesus em uma igreja do ministério Vineyard (o que, aliás, causou grande tumulto em minha família judia). Gostava do culto informal, dirigido pelo Espírito na Vineyard, e não consegui enxergar o valor da liturgia solene da igreja episcopal.

Felizmente, não desisti depois da primeira visita. Algo nas orações antigas (e nos bancos velhos e gastos) me atraiu de volta. Percebi, por instinto, que havia mais coisas a serem descobertas, além do que ficava evidente à primeira vista.

Aos poucos, apesar de meu desajeitamento litúrgico e da apreensão que persistia, a Igreja de São João se tornou minha comunidade de fé pelos dezoito meses seguintes. O ritmo do culto adquiriu profundo significado para mim, e os rituais repetidos a cada semana — a confissão do Credo Niceno, a grande Ação de Graças, a procissão até à frente, onde me ajoelhava para receber a Eucaristia — alimentaram minha alma naquele período em que a única coisa que parecia importar durante a semana era meu cérebro.

Ao olhar para trás, faz ainda mais sentido que eu tenha ido parar na Igreja de São João durante meu tempo em Yale. Não foi apenas porque, no animado salão social, meus professores aos poucos se tornaram seres humanos com cônjuge, prestações da casa própria e filhos travessos com dedos grudentos. Não foi apenas porque era possível caminhar até a igreja, uma prática pela qual desenvolvi grande apreço.

Hoje, percebo que, de uma forma estranha, o culto litúrgico, como aquele pelo qual me apaixonei na Igreja de São João, é a coisa mais próxima que o cristianismo tem do judaísmo tradicional. As orações impressas nas páginas de livros encadernados, os movimentos do corpo (ficar em pé, sentar, ajoelhar) e o consumo sacralizado de determinados alimentos, tudo isso era judaísmo despido de seu nome e apresentado com vestes cristãs.

Vejo agora que até mesmo meu desejo aparentemente trivial de caminhar até a igreja era um impulso inerentemente judaico. Para os judeus religiosos, não é aceitável ir de carro até outra região da cidade para participar *daquela* comunidade de adoração, pois ninguém pode dirigir no sábado. Cada um presta culto com os vizinhos e amigos na sinagoga local.

Claro que nenhuma dessas ligações fica evidente para quem não está à procura delas. O Jesus anunciado na Igreja de São João dificilmente se parecia com um rabino judeu que não teria comido vários dos alimentos servidos no almoço de Natal da igreja. Em muitos aspectos, a Igreja de São João, como a maioria das outras igrejas no mundo, era, em grande medida, o cumprimento da invectiva profética de Inácio: "É monstruoso falar de Jesus Cristo e praticar o judaísmo". A prática de algum tipo de judaísmo no ambiente inteiramente litúrgico da Igreja de São João talvez não chegasse a ser considerada "monstruosa", mas certamente teria parecido estranha e deslocada.

A história revela, contudo, que nem sempre foi o caso e que esse desdobramento não foi, de maneira nenhuma, algo inevitável. Jesus era um rabino judeu, cuja vida era organizada em torno do calendário judaico, e não do calendário cristão. Além de ser o Salvador do mundo, ele celebrou a Páscoa judaica com seus discípulos, ensinou em sinagogas e usou o *tzitzit* (a veste tradicional com franjas prescrita em Números 15).

O que aconteceu? Como a igreja esqueceu que o Deus encarnado era judeu praticante? O que levou a identidade de Jesus como Messias de Israel, prometido de longa data, a se tornar um conceito indistinto no pensamento cristão? Por que as práticas gravadas na vida de Jesus (coisas como o sábado, a peregrinação a Jerusalém e a batalha contra as forças da impureza ritual) se tornaram meras excentricidades na fé e devoção cristãs? Como essas questões, tão importantes na igreja primitiva (comunhão à mesa entre judeus e gentios, o papel da circuncisão e a fidelidade aos mandamentos registrados na Torá, entre outras coisas), passaram a ser tangentes consideradas tabus na vida cristã moderna? Como as práticas encarnadas de uma fé viva, que ocupam o cerne da vida judaica, se perderam, em sua maior parte, no discipulado cristão contemporâneo? Em resumo, como foi que o cristianismo se afastou tanto do judaísmo?

Este livro é uma tentativa de sondar esse conjunto de temas e perguntas. Meu objetivo é fazer uma retrospectiva da história que acabou por declarar que judaísmo e cristianismo são duas tradições religiosas separadas (e, em sua maior parte, incompatíveis) e questionar as conclusões que, muitas vezes, são tiradas dessa história.

Escrevo principalmente para cristãos, talvez especialmente para líderes cristãos, que se encontram imersos nas tradições de suas igrejas, mas que têm curiosidade de saber o que um conhecimento maior do judaísmo poderia acrescentar à fé cristã. Em última análise, minha esperança é que este livro enriqueça as práticas espirituais do leitor e contribua para seu entendimento do fundamento inteiramente judaico do qual o cristianismo, em muitos aspectos, se distanciou.

Ao começarmos a refletir sobre o caráter absolutamente separado do judaísmo e do cristianismo, as palavras de

Inácio nos dão uma indicação desse quebra-cabeça cujas peças se encontram escondidas nas dobras da história. Como o teólogo judeu messiânico Mark Kinzer destaca, os esforços de Inácio para traçar uma grossa linha preta entre cristãos e judeus são prova de que essa linha ainda não existia. Antes, Inácio foi um daqueles que procurou, com sucesso, criar uma nova religião chamada cristianismo que, com o tempo, se desvincularia daquilo que era percebido como o desgastado e pesado jugo do judaísmo.[1]

Para alguns como eu, porém, essa separação é uma grande tragédia. É o primeiro e mais profundo cisma da igreja. Uma consequência aflitiva desse cisma é o fato de que ele não deixa espaço para que os seguidores judeus de Jesus vivam como judeus, mas um problema ainda maior é que ele desfigura a verdadeira identidade da própria igreja. Como Paulo lembra em Romanos 11, seguidores gentios (isto é, não judeus) de Jesus foram "enxertados" no relacionamento de aliança de Deus com Israel. A igreja se encontra unida ao povo já existente da aliança de Deus, e não é uma substituta desse povo, uma substituta isenta da lei e baseada na graça.

Avancemos quase vinte anos depois de minha primeira visita à Igreja de São João. Hoje, considero-me judia messiânica, sou casada com um judeu messiânico e temos dois filhos pequenos. O ritmo de nossa vida é inequivocamente judaico. Observamos o *Shabbat* (sábado) semanal judaico, que começa na sexta-feira à noite e termina no sábado à noite. Preparo *challah*, o pão trançado judaico tradicional, que comemos depois de recitar a *hamotzi*, a bênção judaica sobre o pão. Nas noites mais escuras de inverno, nossa casa é iluminada pela luz cintilante das velas de Hannukah. Nosso estômago ronca alto durante o jejum anual de Yom Kippur (o

Dia da Expiação), e removemos de nossa casa todo o *chametz* (fermento) antes da Páscoa judaica.

Contudo, também cremos que Jesus (nós o chamamos por seu nome hebraico, Yeshua) era Deus encarnado e tirou os pecados do mundo. Lemos para nossos filhos narrativas dos Evangelhos e recitamos com eles o Pai Nosso e o Shema, a declaração central do judaísmo da singularidade de Deus.

Como outros seguidores judeus de Jesus, dedicamos nossa vida a abrir uma via entre as duas religiões que passaram aproximadamente dezesseis séculos se definindo em oposição uma à outra. Não é fácil flexibilizar os padrões profundamente arraigados da história. É um caminho solitário, e com frequência somos mal interpretados.

Para nós, porém, não há outra forma autêntica de vivenciar nossa fé. Como meu amigo Ben Ehrenfeld disse certa vez: "Pedir que eu escolha entre Jesus e o judaísmo é como pedir que eu escolha entre meu coração e meus pulmões". Para nós, só existe o caminho intermediário, a terceira via que a história apagou.

Ao reinventar esse caminho, ao abri-lo novamente, tenho convicção de que redescobriremos nosso Senhor e Messias. Nas páginas a seguir, convido você a me acompanhar nessa jornada.

1
A separação

> A separação se deu mais entre o cristianismo
> tradicional e o cristianismo judaico do que
> simplesmente entre o cristianismo como um todo
> e o judaísmo rabínico.
>
> JAMES DUNN

"Chegamos!", exclamou minha cunhada, Leila, quando estacionamos na garagem do prédio novo onde ficava meu apartamento em Pasadena, indicando o fim da viagem só de meninas em que percorremos o estado da Califórnia em uma semana.

Desliguei o carro. "Acho que este é meu novo lar." Tentei manter um tom de voz animado, mas, na verdade, estava em pânico. Em breve, minhas três companheiras dos últimos sete dias (Leila e duas amigas chegadas) voltariam para a vida conhecida no norte da Califórnia, enquanto eu daria início ao processo empolgante, mas inegavelmente assustador, de recomeçar em uma nova cidade.

Depois de terminar meu mestrado em teologia em Yale, estava de volta à Califórnia para começar o doutorado no Seminário Teológico Fuller. Meus anos em Yale tinham me dado profundo amor pela teologia cristã (especialmente pela teologia de Karl Barth), mas, perto do final de meu tempo ali, uma constatação surpreendente começou a se cristalizar: minha fé cristã firme e profunda havia ofuscado quase inteiramente o judaísmo de minha herança e formação. Sentia como se tivesse perdido alguns liames de minha identidade e não sabia como reavê-los.

Cresci em um lar judaico no norte da Califórnia, para onde meus pais haviam se mudado uma semana depois de se casarem. Os dois tinham crescido em Los Angeles, minha mãe no movimento de Reforma Judaica e meu pai no movimento Conservador Judaico.[1] Durante minha infância e adolescência, minha mãe se esforçou para preservar as tradições e práticas judaicas em nosso lar, enquanto meu pai se dedicou a instilar em meu irmão e em mim uma sólida fé em Deus, na qual pudéssemos nos firmar.

A espiritualidade de meus pais nem sempre se alinhava, pois meu pai também foi influenciado pelo movimento da Nova Era e tinha certa suspeita da religião organizada. Minha mãe permaneceu agnóstica por vários anos depois de casada, mas os ritmos da vida judaica arraigavam sua identidade. Nunca nos inserimos na comunidade judaica local, que meus pais consideravam liberal demais.

Minha percepção de identidade judaica era forte, mesmo que nem sempre eu soubesse o que isso significava ou quais eram as implicações. Meus anos de faculdade, na Cal Poly, uma grande universidade estadual, se tornaram um período de busca intensa, e "por acaso" a maioria de meus amigos na faculdade era cristã. Cada vez mais, passei a considerar as asserções do cristianismo e, ao mesmo tempo, senti-me incapaz de me identificar plenamente com o Hillel (grupo de estudantes judeus) mais secular de meu *campus* universitário.

Eu havia escolhido a Cal Poly, em grande parte, porque era onde meu irmão estava estudando, e lembro-me com carinho de nossos jantares semanais, em que falávamos da vida, das amizades, da fé e de nossos medos. Em meu último ano de faculdade, por meio de uma série de acontecimentos decisivos, as asserções de Jesus se tornaram inegáveis, e tomei a decisão de segui-lo. Foi impressionante que meu irmão, incentivado por um breve namoro com minha colega de quarto cristã, também veio a crer em Jesus na faculdade. Na época, eu não fazia ideia do que a crença em Jesus significava para minha identidade judaica e, portanto, simplesmente enterrei essa identidade.

Envolvi-me intensamente com uma das igrejas do ministério Vineyard e quase nunca falava de minha formação e identidade judaicas. Fiz bacharelado em ciências políticas e planejava fazer o mestrado em direito, como muitos outros alunos de meu departamento. No entanto, depois de descobrir a fé em Jesus, desenvolvi uma fascinação pelos estudos teológicos que me levou a cursar o mestrado em teologia. Durante os anos em Yale, senti-me como uma criança em uma loja de doces e me esbaldei em história da igreja, teologia sistemática e línguas bíblicas.

Tinha diante de mim, porém, um novo dilema. Quando minha identidade judaica, ignorada havia tanto tempo, começou a exigir atenção, perguntei-me como era possível ser judia e, ao mesmo tempo, cristã. Essas tensões assumiram o primeiro plano tempos depois, durante os estudos do doutorado.

Ao chegar a Fuller, comecei mais uma vez o processo cansativo de tentar encontrar uma nova comunidade de fé. Durante um ano, eu havia enfrentado o trânsito lento de Los

Angeles e atravessado a cidade para frequentar a Igreja Presbiteriana de Bel Air. Depois disso, fiquei seis meses em uma pequena Igreja Evangélica Livre, cujo edifício branco ficava em uma rua residencial cheia de árvores próxima de meu apartamento. E, como em New Haven, mais uma vez fui parar em uma igreja episcopal.

Nessa igreja episcopal, a Igreja de São Tiago, na região sul de Pasadena, havia um ministro auxiliar cristão palestino chamado Sari. Passei dois anos ali e sou eternamente grata pela amizade que desenvolvi com Sari e sua família, da qual nasceram muitas conversas enriquecedoras, troca de conhecimentos e a construção de um pequena, mas sólida, ponte sobre o abismo que, muitas vezes, divide judeus e árabes.

É provável que eu tivesse ficado bem mais tempo na Igreja de São Tiago se uma trama secundária silenciosa, mas persistente, não houvesse começado a se desenvolver em minha vida. Em meu primeiro ano em Fuller, comentei de passagem com meu orientador de doutorado, Howard Loewen, que eu era judia. Em minha experiência de teologia em Yale, não fazia grande diferença quem estava realizando os estudos teológicos, desde que fossem sólidos e inovadores. No entanto, os detalhes de minha identidade espiritual estavam prestes a adquirir novo significado.

"Você é judia?", Howard perguntou admirado, quase arregalando os olhos. "É um dado *importante*. Você precisa conhecer meu amigo Mark Kinzer." Descobri ao longo do restante do programa de doutorado que Mark Kinzer é uma das vozes de maior destaque do movimento judaico messiânico da atualidade (movimento constituído, em grande parte, de seguidores de Jesus que têm o compromisso de preservar a identidade judaica). Também descobri que quem eu sou é de extrema importância para minha abordagem à teologia cristã.

Cerca de um mês depois, sentada junto a uma mesa de canto em uma cafeteria, conversava com Mark Kinzer, que estava na cidade para um congresso. Ele me garantiu que havia muitas pessoas "como nós" pelo mundo afora. Uma dessas pessoas era Stuart Dauermann, que na época dirigia uma congregação judaica messiânica (algo que eu nem sabia que existia) em Beverly Hills.

Várias coisas aconteceram ao longo dos anos seguintes. Comecei a frequentar a congregação de Stuart e, mesmo em meio ao constrangimento e à estranheza em mais uma nova comunidade de fé, algo nos ritmos judaicos tocou o mais recôndito de minha alma. Percebi claramente por que eu não havia me sentido "em casa" em nenhuma igreja ou denominação. Congregações judaicas messiânicas muitas vezes são lugares complexos, como qualquer existência intermediária. Não demorei a descobrir, porém, que essa vida intermediária ao lado de outros seguidores judeus de Jesus era meu lar espiritual.

A segunda coisa que aconteceu foi a luta interior para encontrar meu lugar quando essa identidade judaica messiânica transbordou para o trabalho acadêmico. No fim das contas, minha tese de doutorado tratou sobre as maneiras pelas quais as categorias mutuamente exclusivas, herdadas da separação entre judaísmo e cristianismo, têm sido questionadas em alguns círculos em nossos dias.[2] E, com isso, fui fisgada por essa área de estudo. Sabia que dedicaria minha vida a analisar as percepções equivocadas comuns acerca do judaísmo e do cristianismo e da lacuna entre eles.

Embora a maioria das pessoas saiba que Jesus era judeu (como também eram os apóstolos), a relevância e as implicações desse aspecto marcante de sua identidade não costumam ser exploradas. Esses fundadores do cristianismo prestavam culto no templo em Jerusalém, viviam em cabanas durante a festa de Sukkot e guardavam os estatutos da Torá. Eram inteiramente comprometidos com a fé judaica, e esse contexto influenciou a maneira como os apóstolos entendiam quem Jesus era e o que significava segui-lo. A separação que ocorreu posteriormente entre judaísmo e cristianismo foi um processo em que essas duas comunidades religiosas em desenvolvimento procuraram se distanciar uma da outra, o que resultou em duas religiões completamente separadas. Não creio que os primeiros seguidores de Jesus tivessem previsto esse desdobramento.

O Novo Testamento procura imaginar e construir uma comunidade em que tanto judeus quanto gentios seguem Jesus, o Messias judeu, lado a lado. Como vemos em Atos 10, Pedro fica surpreso quando o Espírito desce sobre os gentios da mesma forma que desceu sobre os judeus em Atos 2. "Vejo claramente que Deus não mostra nenhum favoritismo. Em todas as nações ele aceita aqueles que o temem e fazem o que é certo", diz Pedro, maravilhado, em Atos 10.34-35. Ao que parece, até então, nem mesmo o círculo mais próximo de Jesus havia se dado conta do pleno impacto de sua vinda.

O restante de Atos descreve o processo pelo qual essa pequena comunidade que seguia Jesus procurou abrir um caminho para avançar. Os seguidores gentios de Jesus precisam adotar as práticas judaicas? De acordo com o concílio de

Jerusalém em Atos 15, a resposta é não. É apropriado que os judeus continuem a observar os rituais e as tradições que caracterizam sua comunidade há séculos? De acordo com Atos 21, a resposta é sim.

O que começa a ganhar forma é um grupo de cristãos unidos no Espírito e na fé, ao mesmo tempo que praticam essa fé de maneiras divergentes. Judeus vivem como judeus, gentios vivem como gentios, e o muro de divisão entre os dois é derrubado no corpo do Messias (Ef 2.14)

Afinal, não era isso que significava a era messiânica profetizada havia tanto tempo? Israel e as nações vivendo em harmonia, em vez de guerrear entre si, como vemos com tanta frequência nas páginas do Antigo Testamento? Como o teólogo Kendall Soulen explica, Jesus finalmente concretiza "uma economia de bênção mútua" entre judeus e não judeus, criando em seu corpo uma paz duradoura e profunda.[3]

Contudo, essa bela harmonia foi justamente aquilo que a separação entre judaísmo e cristianismo apagou. A igreja cada vez mais gentílica adotou uma política de tolerância zero (seguindo o modelo de Inácio) em relação a judeus que mantivessem sua identidade judaica, identidade essa que se tornou paradoxalmente antitética à de um seguidor de Jesus. Entrementes, a comunidade judaica (agora liderada por rabinos, na ausência do templo destruído pelos romanos em 70 d.C.) trabalhou para eliminar a possibilidade de seguidores de Jesus em seu meio.

Depois de duas rebeliões de judeus contra o Império Romano (a primeira em 66–73 d.C., durante a qual o templo foi destruído, e a segunda em 132–136 d.C., em que os romanos exilaram os judeus da cidade de Jerusalém), passou a ser arriscado para os cristãos gentios identificar-se com o judaísmo.

Aliás, o maior desejo era *distanciar* o cristianismo (que estava se tornando cada vez mais favorável ao Império) do judaísmo, que se mostrava tão problemático para os romanos. Como costuma ser o caso na definição de identidade negativa, aqueles que diziam pertencer a ambas as tradições criavam dificuldades para esse processo. Com o passar do tempo, não eram mais aceitos por nenhuma das duas comunidades.

O resultado é uma igreja inteiramente gentílica de um lado e, do outro, um judaísmo que considera anátema a crença em Jesus. O grupo que se perde na história, por séculos, é constituído dos judeus que confessam Jesus, aqueles que, em outros tempos, haviam servido de ponte entre essas comunidades agora mutuamente exclusivas.

ა۔ა۔ა

Apesar de meu amor cada vez maior pelos rituais judaicos e pelo culto na Sinagoga Messiânica Ahavat Zion, em Beverly Hills, ainda me sentia atraída pela riqueza espiritual da igreja episcopal. Não estava pronta para me despedir do incenso, das estolas e da participação semanal na Eucaristia. Por mais um ano inteiro, frequentei Ahavat Zion aos sábados e a Igreja de São Tiago aos domingos, sentindo em meu corpo a tensão gerada pela separação e o extenso abismo deixado em seu rasto.

Ao passar de carro nas manhãs de sábado pela Avenida Pico, no centro do bairro judaico de Los Angeles, admirava-me com a multidão de judeus religiosos caminhando para a sinagoga. Homens de barba longa, terno preto e *tzitzit* pendurados, mulheres com saias compridas e soltas e lenços coloridos cobrindo o cabelo, crianças andando juntas em grupos animados por riso e tagarelice. Parecia-me um mundo diferente, com um conjunto próprio de ritmos e regras para aqueles que dele faziam parte. Muitos restaurantes e padarias na região de Pico-Robertson são *kosher*, o que significa, entre outras coisas, que não abrem aos sábados, e seus proprietários e funcionários provavelmente estão entre aqueles que caminham para uma das várias sinagogas do bairro.

Uma vez que nunca havia experimentado esse tipo de comunidade judaica, minha impressão era de ter sido transportada para outro lugar e, possivelmente, para outra era. Voltei a refletir sobre meu desejo de longa data de caminhar para a igreja e tive a impressão de que esses judeus (todos moravam, necessariamente, a uma distância da sinagoga que pudesse ser percorrida a pé) vivenciavam um tipo de comunidade espiritual sobre a qual eu nada sabia.

Então, 24 horas depois, eu entrava pelas duas portas de madeira pesada da Igreja Episcopal São Tiago. Passava pela pia batismal e sentava-me em um dos lindos bancos que adornavam o amplo santuário. O sol do final da manhã passava pelos vitrais altos e incidia sobre a congregação sua bela e resplandecente luminosidade, criando, verdadeiramente, a sensação de espaço sagrado. A essa altura, eu havia aprendido a cadência do culto minuciosamente ordenado, que chegava a seu ápice litúrgico na participação comunitária da Eucaristia.

Sentia como se estivesse levando uma vida dupla. Esses cristãos faziam alguma ideia do mundo judaico que existia do outro lado da cidade? Tinham algum interesse em saber? Será que lhes ocorria que Jesus talvez tivesse mais em comum com os judeus do oeste de Los Angeles do que com os cristãos nesses bancos? Será que havia lugares em que esses dois mundos, dos quais eu em certa medida havia me apropriado, se cruzavam e se sobrepunham? E onde, ah, onde era meu lugar, meu lar em meio a essas comunidades tão distintas?

Inácio foi apenas uma das muitas vozes que prepararam o terreno para a separação entre judaísmo e cristianismo. Cem anos depois dessa declaração severa de monstruosidade, Constantino se tornou o primeiro imperador "cristão" de Roma. Diz a lenda que, na véspera da Batalha da Ponte Mílvia, em 312 d.C., Constantino teve uma visão de Jesus no céu, dizendo-lhe: "Conquiste em meu nome". Constantino venceu a batalha e, em algum sentido, tornou-se cristão. Pouco depois, Agostinho, proeminente teólogo e pai da igreja, começou a desenvolver uma doutrina cristã de guerra justa como início de um extenso legado que se formaria posteriormente. Agora, o cristianismo andava de mãos dadas com o poder.

Em 325 d.C., Constantino reuniu o Concílio de Niceia, cujo propósito central foi definir um parecer oficial da igreja sobre uma controvérsia doutrinária que estava desintegrando a comunidade. O que estava em jogo era o conceito correto da identidade de Jesus: ele era gerado pelo Pai, sem início (como declarava Atanásio), ou havia sido criado do nada em algum momento específico (como declarava Ário)?

Embora muitos conheçam as palavras do Credo Niceno, redigido nesse concílio e que assevera categoricamente o primeiro posicionamento, poucos sabem do impacto que esse acontecimento teve sobre a relação entre judaísmo e cristianismo. Constantino certamente foi influenciado pelas tendências predominantes de hostilidade crescente entre a igreja (em sua maior parte gentílica) e a comunidade judaica. Aliás, em essência, ele institucionalizou essas atitudes e, com efeito, as gravou de modo permanente.

O CREDO NICENO

Cremos em um Deus,
o Pai Todo-poderoso,
criador do céu e da terra,
e de todas as coisas, visíveis e invisíveis.

Cremos em um Senhor, Jesus Cristo,
o unigênito Filho de Deus,
gerado pelo Pai antes de todos os séculos,
Deus de Deus, Luz da Luz,
verdadeiro Deus de verdadeiro Deus,
gerado, não feito,
de uma só Substância com o Pai.
Por meio dele, todas as coisas foram feitas.
Por nós e por nossa salvação,
ele desceu dos céus;
pelo poder do Espírito Santo,
tornou-se encarnado da Virgem Maria,
e foi feito homem.
Em nosso favor foi crucificado sob o poder de Pôncio Pilatos;
padeceu e foi sepultado.

No terceiro dia ressuscitou
conforme as Escrituras;
subiu ao céu
e está assentado à direita do Pai.
De novo há de vir com glória para julgar os vivos e os mortos,
e seu reino não terá fim.

> Cremos no Espírito Santo, Senhor e Vivificador,
> que procede do Pai e do Filho.
> Com o Pai e o Filho conjuntamente ele é adorado e
> glorificado.
> Ele falou por meio dos profetas.
> Cremos na Igreja una, universal e apostólica.
> Reconhecemos um só batismo para remissão dos
> pecados.
> Aguardamos a ressurreição dos mortos
> e a vida do mundo por vir. Amém.

Uma marca tangível e duradoura dessa separação foi a distinção que o Concílio Niceno fez entre a Páscoa judaica e a Páscoa cristã. "Não devemos, portanto, ter nada em comum com os judeus, pois o Salvador nos mostrou outro caminho", vociferou Constantino. "Foi declarado especialmente indigno para essa festa, a mais sagrada de todas, seguir o costume dos judeus, que sujaram as mãos com os mais terríveis crimes e cuja mente foi cegada." E, com isso, o imperador cristão dissociou para sempre a recordação judaica do êxodo do Egito e a ressurreição do Messias. Desse ponto em diante, tornou-se mero acidente calendárico quando as duas celebrações coincidiam.

Portanto, o Concílio de Niceia não apenas deu um parecer definitivo favorável à cristologia atanasiana, mas também isolou o cristianismo do judaísmo, tanto litúrgica como teologicamente. Teve início uma longa era histórica em que, se um judeu desejava seguir Jesus como Messias, tinha de renunciar publicamente a toda e qualquer ligação com o mundo judaico. Eis em exemplo real de liturgia de conversão do sétimo século:

> Renuncio, aqui e agora, todos os ritos e as observâncias da religião judaica, abomino todas as suas cerimônias mais solenes e suas doutrinas que, no passado, eu guardava e aceitava. No futuro, não praticarei nenhum rito e nenhuma celebração associados à religião judaica, nem qualquer costume de meu erro passado; prometo não buscá-los nem praticá-los. Renuncio, também, a todas as coisas proibidas ou detestadas pelo ensino cristão e (recitação do Credo Niceno).
>
> Em nome desse Credo, no qual verdadeiramente creio e o qual apoio de todo o coração, prometo que jamais retornarei ao vômito da superstição judaica. Nunca mais cumprirei nenhuma das incumbências das cerimônias judaicas às quais era habituado, nem terei por elas apreço. Nego e rejeito cabalmente os erros da religião judaica, lanço fora tudo o que é conflitante com a Fé Cristã e declaro que minha crença na Santíssima Trindade é forte o suficiente para me fazer viver a vida verdadeiramente cristã, rejeitar toda a comunicação com outros judeus e ter meu círculo de amizades apenas entre cristãos honestos.[4]

Impressionante, não? Nada mais de feriados judaicos ou práticas alimentares *kosher* (aliás, a conversão muitas vezes era acompanhada do consumo, em público, de carne de porco para indicar verdadeira devoção a Cristo). Nada mais de associar-se com familiares e membros da comunidade judaica. Nada mais de participar dos rituais que definem o povo judeu e sua vida e adoração conjuntas (e que, a propósito, foram ordenados por Deus no Antigo Testamento). Não é estarrecedor o quanto esse panorama difere das páginas do Novo Testamento?

Talvez o que mais chame a atenção seja que muitos cristãos de hoje não reflitam sobre esse processo e como ele deu forma ao cristianismo. O evangelho que costuma ser pregado tem pouca ou nenhuma ligação com o judaísmo, com a Torá ou com o povo de Israel, exceto, talvez, ao oferecer aos cristãos certa liberdade dessas coisas (e ainda nos perguntamos por que tão poucos judeus escolhem seguir a Jesus!).

Na realidade, porém, coisas que são percebidas como conceitos judaicos empoeirados ocupavam o cerne da proclamação do evangelho por Jesus. Para os primeiros seguidores de Jesus, sua missão e mensagem eram absolutamente incompreensíveis fora da estrutura da aliança de Deus com o povo judeu e das promessas que ancoravam essa aliança. Jesus veio para cumprir as promessas feitas ao povo de Israel, e não para substituir o povo escolhido de Deus por um novo grupo. O evangelho diz respeito, portanto, à fidelidade de Deus à aliança que ele fez com Abraão e seus descendentes, uma aliança cujos contornos foram definidos pela Torá dada a Moisés.

O evangelho que a igreja prega hoje é ancorado na aliança perpétua de Deus com Israel? Como seria religar essas duas histórias de modo cada vez mais próximo? Se o contexto judaico de Jesus é indispensável para entender sua mensagem fundamental, a proclamação das "boas-novas" precisa asseverar a fidelidade de Deus à aliança com o povo de Israel, sobre a qual é edificada a fidelidade de Deus à igreja. Se nosso evangelho de modo sutil, mas inegável, remove Israel da narrativa, como pode ser alicerçado nas Escrituras de Israel? Historicamente, de uma forma ou de outra, o evangelho da igreja não tem se traduzido em boas-novas para o povo de Israel. Muito daquilo que é necessário em nossos dias consiste em repensar nossas categorias teológicas fundamentais, talvez principalmente nossa mensagem do evangelho.

2
O meio-termo excluído

> Recebi um telefonema de meu colega judeu do Diálogo Judaico-Evangélico. De acordo com ele, pelo menos três parceiros de diálogo não participarão da reunião se estiver presente algum judeu messiânico.
>
> DAVID NEFF

Enquanto serpenteávamos pelas curvas da estrada no Cânion de Malibu, três colegas do Seminário Fuller e eu conversávamos sobre namoro. Éramos todos solteiros e lamentávamos a dificuldade de namorar enquanto estudávamos, bem como a ambiguidade que a teologia muitas vezes acrescentava a um processo que, exceto por esse acréscimo, parecia perfeitamente objetivo.

Eu ouvia, sorria e fazia que sim com a cabeça, pois me identificava com eles, mas a outra metade de minha atenção estava obstinadamente voltada para o caráter intermediário de minha identidade e como ele se desdobraria nas próximas 24 horas. Meus companheiros e eu estávamos a caminho de um retiro inter-religioso chamado Intersem, realizado todos os anos em um centro de eventos judaico nos montes de Malibu. Ao sair do cânion e fazer a última curva, começamos um declive suave, com uma vista deslumbrante do oceano

Pacífico diante de nós, cintilando ao sol do final de tarde. "É isso aí", sussurrei para mim mesma, engolindo em seco.

Durante os anos de doutorado no Seminário Fuller, a participação em diferentes formas de diálogo judaico-cristão se tornou um elemento primordial em minha experiência. No entanto, nunca foi algo fácil ou descomplicado. Era especialmente o caso do Intersem, do qual um grupo de alunos de Fuller participava todos os anos. Ao olhar para trás, vejo que a serenidade e a beleza estonteante da paisagem ressaltavam, de algum modo, a incoerência e a angústia interior que sentia nos retiros dos quais participei ali.

Fundado em 1971, o Intersem é um programa em que alunos de diversos seminários da região de Los Angeles (representando várias linhas e denominações do judaísmo e do cristianismo) se reúnem anualmente por 24 horas em janeiro. O retiro inclui refeições, períodos estruturados de diálogo com facilitadores treinados e três cultos de tradições católica, protestante e judaica.

No primeiro ano em que participei do Intersem, já frequentava a Sinagoga Messiânica Ahavat Zion, e minha vida tinha se amoldado cada vez mais aos ritmos judaicos. Ao encontrar outros participantes, hesitei em contar que era judia e cristã; diálogos desse tipo geralmente acontecem dentro de limites claros, sem pontos fora da curva. Por isso, em um primeiro momento, eu era apenas "Jen, de Fuller", e supostamente todos tomavam por certo que eu fosse cristã evangélica protestante.

Dentro de mim, porém, essa experiência era excruciante e realçava os aspectos de minha identidade híbrida considerados anátema para as categorias que definem o cenário religioso de hoje. Era extremamente aflitivo perceber que eu me identificava muito mais profundamente com o culto judaico do que com o culto católico ou protestante. Quando os seminaristas judeus entoavam as palavras do *shaharit* (o culto de oração da manhã), ao som das batidas de um tambor djembe, eu fechava os olhos e os acompanhava em voz baixa. Sentia o sangue do povo judeu correr em minhas veias.

ᘛ•ᘛ•ᘛ

A trajetória definida por Inácio e Constantino se tornou a principal via de relacionamento do cristianismo com o povo judeu, e o antijudaísmo cristão (acompanhado, muitas vezes, de atos de violência) ganhou ímpeto ao longo da Idade Média e da Reforma Protestante, persistindo na era moderna. Aliás, Martinho Lutero, pai da Reforma Protestante, foi se tornando *mais* antissemita com o passar do tempo.[1]

Perto do fim de sua vida, ele redigiu um tratado com o título *Sobre os judeus e suas mentiras*, em que apresentou uma explicação detalhada do que significa para os judeus ("um povo infeliz, cego e desatinado") ser o povo amaldiçoado e julgado por Deus. Lutero cita a destruição do segundo templo em 70 d.C. e a dispersão dos judeus pelo mundo afora e conclui que "essa obra da ira é prova de que os judeus, certamente rejeitados por Deus, não são mais seu povo, e que ele também não é mais seu Deus".

Para Lutero, a rejeição dos judeus e seu abandono por Deus resultavam de sua perpétua obstinação e de seus atos perversos. Eram, portanto, uma ameaça bastante real ao cristianismo, ameaça da qual era necessário guardar-se com vigilância. "Diante disso, querido cristão", Lutero admoestou, "esteja avisado e não duvide que, além do diabo, não há inimigo mais mordaz, maligno e veemente que o verdadeiro judeu que busca sinceramente ser judeu".[2]

A Reforma Protestante definiu os parâmetros para os próximos 450 anos de interpretação paulina. Lutero articulou sua luta contra a Igreja Católica de modo paralelo à suposta luta de Paulo contra o judaísmo de sua época. Para ele, o catolicismo era árido, legalista e corrompido, e a seu ver era exatamente dessa forma que Paulo enxergava o judaísmo. Assim como Lutero acabou por romper com o catolicismo e se dedicou a desmascarar seus graves defeitos, entendia-se que Paulo havia rompido de forma radical com o judaísmo.

Essa narrativa formou o cerne dos estudos acadêmicos sobre Paulo até boa parte do século 20, quando novas perspectivas de Paulo começaram a surgir. Graças à influência amplamente difundida de Lutero no cristianismo (especialmente no protestantismo), sua forma de ver Paulo se tornou preponderante. No entanto, acontecimentos como o Holocausto e a criação do estado moderno de Israel deixaram os cristãos perplexos e os levaram a perguntar se, talvez, a tradição cristã não havia deixado passar algo no tocante a seu relacionamento com o judaísmo. Esses acontecimentos colocaram os judeus no centro do palco da história mundial, e a igreja foi obrigada a enfrentar as consequências perigosas e destrutivas de sua teologia de Israel e do judaísmo, uma teologia negativa e firmemente estabelecida no pensamento cristão.

Na segunda metade do século 20, estudiosos do Novo Testamento passaram a considerar cada vez mais a possibilidade de que Paulo talvez *nunca* tenha rompido claramente com o judaísmo e de que "graça por meio da fé" e "obras de retidão" sejam conceitos colocados lado a lado de forma imprecisa e excessivamente abrupta. Hoje, há uma escola de estudiosos de Paulo que se referem a si mesmos como o campo de "Paulo dentro do judaísmo", deixando claro que seu ponto de partida ao abordar o texto bíblico é a ideia de que Paulo, até o dia de sua morte, continuou a ser um judeu que guardava a Torá. Alguns desses estudiosos são Mark Nanos, Paula Fredriksen, Pamela Eisenbaum, Magnus Zetterholm e Ander Runesson. Textos paulinos de destaque adquirem uma tonalidade diferente quando vistos por essas lentes, e as questões centrais das quais Paulo tratou começam a assumir uma nova forma.

Por exemplo, e se passagens que parecem tratar da "lei" de forma negativa (como Rm 7.6 e Gl 5.18) foram escritas para gentios, e não para judeus? E se Paulo estava tentando dissuadir seguidores gentios de Jesus de adotar práticas judaicas, algo que, de acordo com o concílio de Jerusalém (At 15), era desnecessário? Jesus havia possibilitado que os gentios fossem "enxertados" na aliança de Deus com Israel, e o Novo Testamento deixa claro que não era preciso se converter ao judaísmo para que isso acontecesse. Essa é a maravilha do evangelho. E, no entanto, deixamos de perceber esse milagre quando partimos do pressuposto de que Paulo incentivou os judeus a abandonar sua aliança perpétua com Deus. Antes, judeus *como judeus* e gentios *como gentios* agora formam, juntos, a comunidade do Messias.

Também é relevante que muitos dos estudiosos responsáveis por dar ímpeto a esse novo paradigma nos estudos acadêmicos paulinos sejam, eles próprios, judeus, motivo pelo qual faz todo sentido lerem o Novo Testamento com um olhar diferente dos cristãos gentios.[3] A verdade é que, ao longo da história, muitos dos comentaristas cristãos do Novo Testamento que formaram a perspectiva "tradicional" a respeito de Paulo nunca sequer conheceram um judeu. Antes, empregaram o que um estudioso chama de "judeu hermenêutico" em suas formas de retratar o Novo Testamento e a história da igreja: judeus foram usados para desempenhar determinado papel na teologia cristã, quer esse retrato refletisse com exatidão judeus reais, de carne e osso, quer não.⁴

༄・༄・༄

No primeiro retiro Intersem, conheci Adam, um judeu conservador. Nos meses depois do retiro, Adam e eu tivemos várias discussões acaloradas sobre minha identidade e a reação de Adam a ela.

— Adam, todos os primeiros seguidores de Jesus eram judeus. Reconheciam que ele era o Messias de Israel, aguardado havia tanto tempo — expliquei enquanto tomávamos café em uma padaria.

— Mas, Jen — ele retrucou —, todos os ramos do judaísmo são unânimes em afirmar que Jesus não era o Messias! Nós o estudamos como um dentre muitos messias malsucedidos. Com certeza ele não deu início à era messiânica. É só olhar ao seu redor!

E assim caminhavam nossas discussões infindáveis. Apesar de nossas profundas diferenças teológicas, Adam e eu nos tornamos amigos e, por fim, ele me incentivou a fazer parte da comissão de planejamento do Intersem que se reunia uma vez por mês nos seis meses que antecediam o retiro anual de diálogo. Concordei timidamente e descobri que assumir minha identidade nesses encontros menores e mais íntimos era ainda mais difícil que nos grandes retiros anuais, em que anonimato e linguagem ambígua eram opções mais viáveis.

Depois das primeiras reuniões de planejamento, a maioria dos estudantes (e representantes do corpo docente) judeus da comissão sabia que eu era judia messiânica. As reações foram variadas, e apenas alguns interagiram comigo a esse respeito, quase sempre em tom ligeiramente cético, mas com certa curiosidade. Os judeus em geral costumam desconfiar bastante de judeus messiânicos por dois motivos principais: primeiro, embora a lei judaica afirme que ninguém, jamais, deixa de ser judeu, os judeus messiânicos são vistos como indivíduos que se "converteram" ao cristianismo e, portanto, desertaram o povo judeu. Segundo, o judaísmo messiânico tem um conhecido histórico de evangelismo ostensivo, que dá aos judeus a impressão de que são alvo, não muito secretamente, de tentativas de convertê-los. Historicamente, o ingresso de um judeu na igreja cristã significa, em essência, o fim de sua vida e identidade judaicas, fato que torna a simples ideia de conversão uma ameaça para a maioria dos judeus.

Certa noite de setembro, depois de uma animada reunião de planejamento do Intersem realizada no *beit midrash* (centro judaico de estudos) na Universidade Judaica Americana, participantes judeus quiseram convidar alguns dos presentes para formar um *minyan* por alguém que havia perdido um membro da família. No judaísmo, o luto pela morte de um ente querido é um processo sacralizado, e a recitação de orações específicas para esse fim requer a presença de dez judeus (para formar um grupo chamado *minyan*). Uma vez que essa era uma instituição judaica conservadora (não ortodoxa), não apenas homens mas também mulheres contavam no *minyan*.

Quis o destino que eu fosse a décima judia. Precisariam de mim para formar um *minyan*. Em muitos casos, judeus messiânicos não contam em um *minyan* judaico, uma prática intencionalmente excludente, que ressalta nossa condição geral de forasteiros, apóstatas e possíveis ameaças à estrutura da vida judaica.

Uma estudante judia pegou seu *siddur* (livro judaico de oração), pronta para começar a ler as orações, sem perceber que havia um problema. Outros estudantes trocaram sussurros. "Será um prazer orar com vocês, mas entendo que é uma situação incômoda. Não se sintam pressionados por mim", eu disse de supetão, pois sabia muito bem o que estava acontecendo. Depois de mais conversas sussurradas e vários pedidos de desculpas dos estudantes judeus que haviam se tornado meus amigos, o grupo resolveu não orar, e todos se dispersaram rapidamente, e um tanto sem graças, para o estacionamento escuro. Naquele momento, senti a dor lancinante da rejeição por meu próprio povo por causa de Jesus.

As tensões não diminuíram. Dois meses depois, Jim Butler, representante do corpo docente de Fuller, pediu para conversar comigo à parte depois de uma das reuniões mensais de planejamento. "Preciso lhe dizer que o representante do corpo docente de uma das instituições judaicas quer proibir você de participar do Intersem", ele disse. "Mas não se preocupe. Passamos por essa situação antes. Com certeza, você poderá participar."

Senti-me paralisada, congelada. A princípio, não consegui dizer coisa alguma. Perguntei-me: *Vale a pena continuar sendo parte do Intersem com pessoas que claramente não querem que eu seja incluída?* De repente, comecei a questionar o valor de minha presença. Ao pensar nos relacionamentos que eu havia desenvolvido com outros estudantes e no quanto essas amizades eram preciosas, meus olhos se encheram de lágrimas.

No dia seguinte, recebi um telefonema de Rich Mouw, que na época era presidente de Fuller.

— Jen, esse problema ocorreu no passado e eu garanti a todos os envolvidos que a participação de qualquer um de nossos alunos é uma de nossas condições para fazer parte do Intersem — ele disse em tom tranquilizador. — Sinto muito que a mesma questão tenha surgido novamente e que você tenha de passar por isso.

— Obrigada pelas palavras gentis, dr. Mouw. Estava pensando se realmente vale a pena...

— Vale a pena, sim, Jen — ele me interrompeu. — Eles precisam de sua voz nessas conversas, mesmo que obrigue alguns a sair da zona de conforto. De que adianta um diálogo inter-religioso se ele não nos desafia a pensar de forma diferente?

Sob a orientação de Jim e Rich, passei os três anos seguintes na comissão de planejamento e participei dos retiros anuais. Procurei ignorar os olhares de esguelha de alguns docentes judeus e me lembrei do incentivo sincero de Rich. Poderia até dizer que me senti mais à vontade para assumir minha identidade dupla no Intersem, embora nunca tenha sido aceita inteiramente. Não fui expulsa de nenhuma sinagoga, mas as palavras de Jesus em João 16.2 me proporcionaram uma estranha forma de consolo.

༄ • ༄ • ༄

A era pós-Holocausto foi marcada por esforços intencionais de cristãos para promover cura e restauração na difícil história entre judeus e cristãos. Judeus, por sua vez, responderam a essa abordagem lentamente, ao oferecer declarações teológicas que procuram modificar estereótipos e crenças anteriores acerca dos cristãos e ao buscar novas maneiras de se relacionar com eles. Estamos vivendo tempos extraordinários no que diz respeito ao relacionamento entre cristãos e judeus, e há inúmeros esforços em prol do envolvimento dialógico e da colaboração em iniciativas conjuntas.

Muitas vezes, quando abordo essa era tão importante em minhas aulas, começo recitando a oração judaica *sheheche-yanu*, reservada para ocasiões especiais e momentosas: "*Baruch atah Adonai, Eloheinu melech haolam, shehecheyanu, v'kiy'manu, v'higiyanu laz'man hazeh*" (Bendito és tu, Senhor nosso Deus, Rei do Universo, que nos mantivestes com vida, nos sustentastes e nos conduziste a esta época).

O papel dos judeus messiânicos sempre representou um interessante dilema para aqueles que propõem um melhor relacionamento entre judeus e cristãos. Os dois lados têm dificuldade de situar os judeus messiânicos no cenário religioso, pois o judaísmo messiânico obscurece categoricamente as linhas das quais o diálogo veio a depender. Se o diálogo consiste em ir além das diferenças para desenvolver entendimento mútuo, essas diferenças precisam ser definidas com clareza.[5]

Essa apreensão a respeito do reconhecimento e da participação do judaísmo messiânico fica evidente em especial do lado judaico. O teólogo judeu David Novak, forte defensor do diálogo judaico-cristão, destacou repetidamente a natureza problemática do judaísmo messiânico. De acordo com Novak, o judaísmo messiânico não respeita as asserções doutrinárias irredutivelmente divergentes do judaísmo e do cristianismo com base nas quais o diálogo judaico-cristão é construído. Novak promove o envolvimento teológico honesto, que não oculta nem dilui asserções doutrinárias em favor da conciliação. Para ele, as respectivas asserções doutrinárias do judaísmo e do cristianismo devem ser apresentadas a fim de que um verdadeiro diálogo judaico-cristão possa ocorrer.

Ele diz: "As asserções doutrinárias supremas do judaísmo e do cristianismo são não apenas diferentes, mas também mutuamente exclusivas. [...] É impossível ser judeu e cristão ao mesmo tempo". Dentro da estrutura da interpretação mutuamente exclusiva de Novak do judaísmo e do cristianismo, "a mais elevada forma de culto ao Senhor Deus de Israel é *ou* pela Torá e pela tradição do povo judeu *ou* por Cristo e pela tradição da igreja".[6] Embora aqueles que seguem uma dessas religiões possam procurar entender uns aos outros, esse entendimento é fundamentado na *distinção entre* as duas religiões. É essa linha divisória que, de acordo com Novak, o judaísmo messiânico transgride.

As conclusões de Novak acerca do judaísmo messiânico fluem de seu conceito de judaísmo e cristianismo. Uma vez que Novak rejeita categoricamente qualquer sobreposição entre judaísmo e cristianismo, o judaísmo messiânico não pode ser outra coisa senão uma aberração sincrética que solapa e relativiza a integridade de ambos. A fim de refutar suas conclusões é preciso refutar as premissas nas quais ele as baseia.

⁀⁀⁀

"Jen, embora não seja sua turma, seria ótimo se você pudesse participar do encontro de evangélicos e mórmons no mês que vem", meu amigo Cory comentou enquanto conversávamos no *campus* em Fuller. Para Rich Mouw, o diálogo inter-religioso ocupa uma posição próxima do centro da atividade teológica cristã; ele foi um dos primeiros líderes docentes no Intersem, e havia muito tempo vinha desenvolvendo relacionamentos expressivos com líderes importantes da Igreja de Jesus Cristo dos Santos dos Últimos Dias. Cory (na época, aluno de doutorado de Mouw) também havia se envolvido consideravelmente com esses diálogos e sabia que, embora esse foro de discussão não fosse exatamente minha praia, eu também tinha grande apreço pelo diálogo inter-religioso. Uma vez que estava escrevendo sobre o tema, qualquer oportunidade de participar de uma conversa produtiva com outras linhas doutrinárias era bem-vinda. Concordei, portanto, em ir ao evento.

Foi nessa ocasião que conheci David Neff, na época editor-chefe da revista *Christianity Today*. Começamos a conversar, e ele me falou de um encontro anual (e de certa proeminência) de judeus e evangélicos que ocorria no segundo trimestre em Washington, D.C. Pouco tempo depois, fui convidada para esse encontro. Embora não me sentisse muito à vontade com algumas questões que eu sabia que estavam logo abaixo da superfície, respirei fundo, comprei a passagem de avião e fiz a reserva de hotel. Talvez, para esse grupo específico, as linhas divisórias e a importância de preservá-las fossem menos claramente definidas.

Três meses depois, apenas uma semana antes de eu ir ao evento em Washington, D.C., recebi um e-mail de David Neff. Dizia logo no início: "Tenho más notícias". Prendi a respiração e continuei a ler. "Recebi um telefonema de meu colega judeu do Diálogo Judaico-Evangélico. De acordo com ele, pelo menos três parceiros de diálogo não participarão da reunião se estiver presente algum judeu messiânico. Não vejo problema de você participar de qualquer forma; não quero, contudo, que o encontro fique encalhado por causa dessa questão. Você se dispõe a sair, para que as coisas não se desintegrem? Sinto muito por ter de perguntar, mas creio que o encontro depende dessa questão".

Eu estava assistindo a um workshop sobre didática quando li o e-mail de David e tenho certeza de que não assimilei nada do restante da apresentação. Senti-me insegura e exposta, como se todos na sala estivessem olhando para mim e se perguntando: "O que *ela* está fazendo aqui?". Passado o susto inicial, escrevi para Mark Kinzer e David Rudolph, dois de meus colegas e amigos judeus messiânicos mais próximos, e para Amy-Jill Levine, uma professora judia de Novo Testamento que também participaria do encontro. No dia seguinte, respondi ao e-mail de David Neff e avisei que não compareceria.

Embora estejamos de fato vivendo em uma época extraordinária, que tem produzido vislumbres incríveis de reconciliação entre judeus e cristãos, o fenômeno do meio-termo excluído ainda segue fortemente ativo. Judeus messiânicos com frequência são vistos com ceticismo, incompreensão e desconfiança. Muitas dessas atitudes são ligadas à história variegada do movimento judaico messiânico, mas também se devem ao apego tanto no judaísmo quanto no cristianismo a linhas claras de distinção e a conjuntos limitados.

Como o missiólogo Paul Hiebert explica, conjuntos limitados representam categorias claramente definidas cujas distinções são em preto e branco. Podemos ter, por exemplo, maçãs e laranjas; cada uma dessas frutas é definida por suas características essenciais estáticas que as distinguem da outra fruta. Não é possível uma fruta ser 70% maçã e 30% laranja. Ao definir o que é uma maçã, também definimos o que ela *não* é. Esse tipo de pensamento e de categorização é muitas vezes projetado sobre grupos religiosos, prática que especialmente os missiólogos têm criticado cada vez mais.

De forma contrastante, um conjunto centrado define objetos ou grupos quanto a sua relação com um centro definido.

Os limites deixam de ser o foco principal, e há espaço para certa fluidez e para um modo dinâmico de definição. Dentro de conjuntos centrados, "cada objeto deve ser considerado de forma individual. Não é reduzido a uma uniformidade singular comum dentro da categoria".[7]

Se o diálogo judaico-cristão prosseguir dentro de um modelo de conjunto limitado, o judaísmo messiânico continuará a ser problemático. No entanto, se as próprias categorias puderem ser questionadas, surgirão novas possibilidades. Embora cristãos e judeus talvez discordem entre si quanto a doutrinas teológicas fundamentais, uma observação honesta da história mostra que as categorias que, com frequência, tomamos por certas não são tão estáveis quanto talvez imaginemos. Aliás, há quem diga que são produzidas artificialmente com o propósito expresso de definir quem está dentro e quem está fora.[8] Se a separação for vista como um processo mútuo em que judaísmo e cristianismo se distanciaram um do outro (e não como uma espécie de divisão inevitável com base em diferenças fundamentais), talvez sejamos capazes de repensar diferenças que antes pareciam absolutas.

3
Perdido na tradução

> Nesse instante, uma mulher que sofria de perda de sangue havia doze anos se aproximou por trás dele e tocou o *tzitzit* de sua veste. Pois dizia para si mesma repetidamente: "Se eu tão somente tocar sua veste, serei curada".
>
> MATEUS 9.20-21, TLV

Estacionei na zona azul na Avenida Beverly, ajeitei a saia e caminhei até o saguão do hotel Beverly Hills Marriott. Fazia apenas alguns meses que eu frequentava a Sinagoga Messiânica Ahavat Zion, e continuava a me sentir um tanto receosa diante dos rostos desconhecidos e dos ritmos do culto, aos quais ainda não estava habituada. Embora tivesse uma percepção razoavelmente forte de minha identidade judaica durante a infância e adolescência, o fato de nunca havermos feito parte de uma comunidade judaica significava que eu tinha muito a aprender.

Resolvi participar do congresso judaico messiânico organizado pela sinagoga e estava curiosa para encontrar outros seguidores judeus de Jesus e trocar histórias com eles. Por mais que estivesse correndo atrás de minha espiritualidade, tinha a impressão de que ela também corria atrás de mim com persistência. As pessoas que eu tinha conhecido, os livros que tinha lido[1] e as experiências que estava vivenciando eram marcos ao longo do caminho, e esse congresso parecia ser o próximo passo na jornada.

Entrei no elevador, fui até o segundo andar e me encaminhei para o salão onde ocorreriam as palestras. Estava um pouco atrasada e, no corredor, ouvi os cânticos de *shaharit*; o grupo já havia começado as orações tradicionais da manhã. Quando me aproximei do salão, fiquei pasma de ver alguém extremamente parecido com meu amigo Jonathan. Na verdade, era ele, mas quase não o reconheci.

Ele usava um *tallit* (xale de oração judaico) branco e preto e tinha na cabeça e no braço esquerdo as tiras de couro dos *tefillin* (filactérios), que eu nunca tinha visto. Os *tefillin* não são usados aos sábados, e portanto, apesar de eu ter começado a frequentar a sinagoga, não fazia ideia do que eram. (Se você também nunca os viu, procure no Google imagens de judeus usando-os ao orar. Você entenderá minha perplexidade.) Muito tempo depois, minha tia comentou que um judeu usando *tefillin* parece um ninja.

Sorri timidamente, um tanto desnorteada de saber que essa pessoa envolta com tiras de couro era, de fato, meu amigo Jonathan, que me acompanhou gentilmente para dentro do salão. Ali, todos os outros homens também usavam *tefillin*. Portei-me como se fosse algo normal para mim. Escolhi um lugar junto ao corredor, peguei meu *siddur* e comecei a acompanhar as orações. Passei a maior parte do tempo, contudo, fingindo prestar atenção nas páginas diante de mim enquanto, na verdade, olhava de soslaio para os homens (e algumas mulheres também) com as tiras de couro dos meus dois lados.

Como descobri depois, a prática de "colocar os *tefillin*" para as orações matinais durante a semana é a forma como a tradição judaica veio a interpretar e aplicar versículos como Deuteronômio 6.8, em que Deus ordena aos israelitas que amarrem as palavras de seus mandamentos "às mãos e prenda-as à testa como lembrança". Os *tefillin* têm pequenas caixas de couro presas com tiras de couro à testa e ao braço, e dentro das caixas há rolos minúsculos com as palavras de quatro versículos que se referem a essa prática.[2] São, portanto, uma clara lembrança da natureza fortemente encarnada do judaísmo.

Antes que cheguemos à conclusão de que a ideia de *tefillin* é obscura e secundária, na verdade Deuteronômio 6.4-9 é um dos textos mais fundamentais de todo o judaísmo. Começa com os versículos sempre expressivos do Shema ("Ouça, ó Israel! O SENHOR, nosso Deus, o SENHOR é único!"), a declaração central do judaísmo da singularidade de Deus. Judeus religiosos recitam essa passagem em oração três vezes por dia e a têm nos lábios em seus últimos momentos de vida.

Um turbilhão de pensamentos tomou conta de minha mente durante todo o congresso, e no fim das contas esse foi mais um passo importante em minha jornada de volta ao judaísmo. A natureza encarnada da espiritualidade judaica, as melodias contagiantes da oração judaica, as súplicas fervorosas no *siddur* que revelam o relacionamento íntimo do povo judeu com Deus; nas semanas depois do congresso, continuei a absorver tudo isso. Há algo belo e misterioso no povo judeu e na narrativa sinuosa e complexa de sua identidade como povo, e eu sabia que estava caminhando para lugares cada vez mais recônditos desse mistério profundo.

No judaísmo, além dos filactérios, a pessoa que faz orações usa uma peça de vestuário com franjas chamada *tallit*. Essa prática, que também é bíblica, tem origem em Números 15.37-41, em que Deus ordena aos israelitas: "Façam para si franjas nos cantos de suas vestes [...] para que se lembrem de cumprir todos os meus mandamentos e ser santos para o seu Deus" (tradução da autora). O termo hebraico usado aqui é *tzitzit*, e a imagem é a de cobrir-se com a palavra de Deus, uma lembrança física e encarnada da proximidade de Deus e de sua presença tangível em nosso mundo.

A ideia é que, ao olhar para as franjas, seremos lembrados de seguir a Deus e seus caminhos, em vez de tomar outros caminhos que tentam cativar nossa atenção. Embora o uso do *tallit* talvez não seja tão chamativo ou estranho quando o uso de *tefillin*, as duas práticas são ligadas de modo próximo e constituem um elemento essencial da oração judaica.

Jesus também usava essa veste com franjas. Nossas traduções da Bíblia, contudo, não deixam muito claro esse detalhe. Veja, por exemplo, Mateus 9. O contexto dessa passagem é impressionante e trataremos dele no capítulo seguinte. Por ora, focalizemos o versículo 20. A mulher com a hemorragia estende a mão para Jesus e toca a "borda de seu manto".[3] Um "manto"? Parece algo que Gandalf vestiria.

Na verdade, o grego diz que a mulher estende a mão e toca as *kraspedon* (literalmente, borlas ou franjas) de sua veste. Ah, que interessante. Franjas. Como as franjas ordenadas em Números 15. O mesmo termo é usado na passagem paralela em Lucas 8.44, bem como em Mateus 14.36 (e em seu paralelo, Marcos 6.56), em que os enfermos são curados ao tocar as franjas da veste de Jesus. Em cada um desses casos, a maioria das nossas traduções traz "borda" ou "orla" de seu manto ou de sua veste.

No entanto, quando o mesmo termo grego (*kraspedon*) ocorre em Mateus 23.5, em que Jesus repreende os fariseus por sua ostentação, o termo "franjas" é usado.[4] Percebeu o que acontece? As Bíblias em nosso idioma nos levam a crer que os fariseus hipócritas e "legalistas" usam franjas nas roupas, enquanto Jesus Gandalf veste um manto. O que passa despercebido muitas vezes é que *se trata exatamente do mesmo termo*.

Esse é apenas um dos casos em que a tradução obscurece a ligação de Jesus com práticas judaicas e o distancia dos costumes dos fariseus. Na realidade, usar franjas nas roupas era (e é) uma prática judaica comum, adotada por Jesus *e* pelos fariseus. Como meu amigo Matthew Thiessen escreve, Jesus era, verdadeiramente "judeu *a esse ponto*".[5]

Práticas judaicas, como o uso de vestes com franjas, inserem Jesus em um contexto específico. Entender esse contexto é a chave para entender o significado de sua vida e de suas ações.

෴෴෴

Alguns meses depois do congresso em Beverly Hills, voltei a Bel Air, região próxima dali, para ouvir uma palestra de Mark Nanos, estudioso judeu do Novo Testamento. Nanos faz parte de um grupo emergente de estudiosos judeus que têm levado o mundo acadêmico a reconsiderar as pressuposições comuns a respeito do Novo Testamento, especialmente no tocante à identidade judaica de Jesus, de Paulo e da comunidade primitiva de seguidores de Jesus.

Nessa palestra, Nanos explicou sua interpretação de Romanos 11.7, o início da passagem enigmática de Paulo sobre o "enxerto". Os capítulos 9 a 11 consistem em reflexões de Paulo sobre a fidelidade de Deus para com o povo de Israel, textos que, em gerações passadas dos estudos acadêmicos do Novo Testamento, pareciam ser apenas material adicional inserido estranhamente em uma carta sobre o pecado e a graça salvífica de Cristo. Cada vez mais, porém, estudiosos consideram esses três capítulos *a chave para entender o significado do livro todo.*

A maioria das Bíblias em nosso idioma traduz Romanos 11.17 como se alguns ramos tivessem sido "cortados", uma imagem que dá a ideia de que esses ramos foram podados e separados da raiz. Fica implícito que a aliança de Israel com Deus foi fundamentalmente rompida em razão da incredulidade de Israel em Jesus. Esse versículo foi usado inúmeras vezes para impulsionar a narrativa cristã de que Israel é ex--esposa de Deus, e que a igreja cristã é a nova esposa, bem mais jovem. Aliás, a imagem de substituição aparece inserida com frequência em versões bíblicas. A Almeida Revista e Corrigida, por exemplo, afirma explicitamente que o ramo de "zambujeiro" (ou "oliveira brava") foi enxertado "em lugar deles", como que para indicar que, agora, os gentios ocupam o lugar de Israel dentro da aliança.

No entanto, Nanos explicou que o verbo grego *exeklasthēsan*, usado no versículo 17, também pode ser traduzido por "envergado", e não "cortado".[6] Essa imagem reflete com mais precisão o processo de enxerto, explicado na palestra de Nanos. Portanto, os "ramos de uma oliveira brava" são enxertados *entre* os ramos existentes, e não em lugar deles. É impressionante como apenas umas poucas palavras traduzidas de forma diferente alteram toda a metáfora!

De acordo com a interpretação de Nanos, os "ramos naturais" (isto é, Israel) são *envergados para trás* a fim de abrir espaço para que os "ramos de uma oliveira brava" (isto é, os gentios) sejam enxertados entre eles. Em vez de esta ser uma passagem sobre a expulsão de Israel da aliança agora ocupada confortavelmente pelos cristãos gentios, é uma passagem que trata de como os cristãos gentios, por meio do Messias, são convidados a participar da riqueza da aliança perpétua de Israel com Deus.

Em seguida, Nanos explicou que esse retrato se encaixa muito mais facilmente com as outras metáforas e declarações de Paulo, tornando sua teologia mais coerente e harmoniosa. Convém observar, ainda, que essa interpretação ajuda a eliminar a lacuna percebida com frequência entre o Paulo de Atos e o Paulo das cartas. Em Atos 21, ele passa pelos ritos de purificação no templo para dissipar boatos de que ensinava seguidores judeus de Jesus a abolir as práticas judaicas e, em Atos 23, identifica-se (no tempo presente) como fariseu.

Alguns têm dificuldade de entender essas passagens em razão de certas declarações de Paulo em suas cartas, especialmente sua aparente negatividade em relação à "lei". Para resolver essa tensão, muitos estudiosos desconsideram o livro de Atos, pois dizem que "não é histórico" (e, portanto, não é investido de autoridade), enquanto outros concluem que Atos é apenas o retrato que Lucas apresenta de Paulo (e, portanto, não é exato). De acordo com Nanos, porém, o problema não é o Paulo de Atos, mas a forma como traduzimos e interpretamos suas cartas ao longo da história! Apesar disso tudo, ainda estou para ver uma tradução da Bíblia em nosso idioma que reflita a argumentação e as conclusões de Nanos.[7]

Percebemos aqui que nossa leitura das Escrituras nunca se dá em um vácuo. Enxergamos os textos através de nosso conjunto de lentes, e as traduções que lemos servem muitas vezes para reforçar nossas premissas e conjecturas. Embora a Bíblia molde nossa teologia de maneiras importantes, a teologia cristã ao longo dos séculos também moldou a Bíblia e a forma como ela é lida. A separação entre judaísmo e cristianismo se tornou uma das lentes inerentes através das quais lemos a Bíblia.

No livro *The Misunderstood Jew: The Church and the Scandal of the Jewish Jesus* [O judeu mal interpretado: A igreja e o escândalo do Jesus judeu], a estudiosa do Novo Testamento Amy-Jill Levine descreve como a tradição cristã ao longo da história retratou Jesus em relação ao judaísmo. Em suas palavras, Jesus é

> definido, incorreta e infelizmente, como alguém "contrário" à Lei [...]; "contrário" ao Templo [...]; [e] "contrário" ao povo de Israel [...]. Nesse discurso, o judaísmo se torna um realce contrastante negativo: qualquer coisa que Jesus represente, o judaísmo não é; qualquer coisa à qual Jesus seja contrário, o judaísmo representa perfeitamente. Não é de admirar que, até hoje, Jesus seja, de algum modo, "diferente" dos "judeus": nos filmes e nas representações artísticas ele é loiro, enquanto os judeus são morenos; ele é bem-apessoado e musculoso, enquanto os judeus precisam fazer rinoplastia e Pilates. Jesus e seus seguidores, como Pedro e Maria Madalena, passam a ser identificados como (proto-)cristãos; somente aqueles que escolhem não seguir Jesus continuam a ser "judeus".[8]

Como as decisões de tradução em Romanos 11 deixam claro, Paulo é retratado de forma semelhante. Não é de admirar que a maioria dos judeus de hoje (e ao longo da história) não reconheça Jesus como alguém de seu povo e, pior ainda, não queira saber dele.

༺ · ༺ · ༺

O que está em jogo na questão da tradução da Bíblia? Primeiro, temos de levar em conta como a história moldou nossa leitura das Escrituras. Nesse caso, é preciso dar atenção especial à separação entre judaísmo e cristianismo. Uma vez que judaísmo e cristianismo se tornaram dois sistemas religiosos separados e mutuamente exclusivos, cada tradição se esforça para destacar suas diferenças e incompatibilidades. Nossas traduções bíblicas refletem esses objetivos inerentes e introduzem significados que simplesmente não existiam na versão original do texto. Faz parte do trabalho de ler a Bíblia devidamente identificar esses objetivos e trazê-los a lume, e cabe à igreja cristã corrigi-los.

Em geral, a perspectiva habitual de hoje consiste em entender o judaísmo e o cristianismo como duas tradições religiosas inteiramente distintas (e mutuamente incompatíveis). Embora, sem dúvida, essa seja a narrativa apresentada ao longo da história, *ela não é refletida no Novo Testamento*. Aliás, o Novo Testamento focaliza indivíduos que vivem, simultaneamente, como judeus e cristãos. Contudo, se permitirmos que a história influencie nossa leitura do texto, essa realidade impressionante passará facilmente despercebida.

Ademais, a história mostra que o cristianismo sem o judaísmo leva ao cristianismo *contra* o judaísmo (e contra o povo judeu). Como vimos no caso de Martinho Lutero, o cristianismo tem uma história longa e sombria de antijudaísmo, e os últimos séculos evidenciaram que o caminho a percorrer entre antijudaísmo e antissemitismo é extremamente curto. Embora eu não considere Hitler cristão em nenhum sentido dessa palavra, é relevante que ele tenha distorcido a teologia cristã para alcançar seus alvos e usado Lutero como aliado e defensor de sua causa.[9]

Esse fato deve nos abalar até o âmago, pois as palavras de Lutero, usadas para justificar campos de concentração nazistas, também contribuem para formar e manter o alicerce da tradição cristã protestante. Portanto, devemos perguntar: em que doutrinas cremos, que lições pregamos, que rituais promovemos que perpetuam antijudaísmo e antissemitismo de formas sutis e tácitas? Em resumo, a forma como lemos a Bíblia é importante.

Segundo, o detalhe quase nunca reconhecido de que Jesus usava um *tzitzit* (e *tefillin*?) nos dá a oportunidade de refletir sobre práticas encarnadas e o que talvez signifique ancorar nossa própria espiritualidade em nosso corpo. A herança greco-romana transmitiu ao Ocidente a percepção de que nosso corpo trabalha contra nós e de que seria melhor não tê-lo. Mais perturbador ainda é que certas passagens bíblicas (como Rm 7.21-24) parecem confirmar essa mentalidade. E, no entanto, o corpo é o único espaço que temos para vivenciar a fé. É com as mãos que erguemos os necessitados, é com a voz que declaramos a bondade de Deus, e é com a boca que participamos da riqueza do corpo e do sangue de Jesus.

É em nosso corpo que somos feitos à imagem de Deus. Se Jesus considerou a carne humana adequada para lugar de habitação dele, temos muito a aprender a respeito do envolvimento de nosso corpo com o culto e o discipulado. Nas palavras de Dallas Willard, "nosso corpo é o principal *recurso* para a vida espiritual", motivo pelo qual ele insta a comunidade cristã a que "coloque as disciplinas da vida espiritual no cerne do evangelho".[10] Em outras palavras, nossa fé *deve* ser vivenciada por meio do corpo; quando negligenciamos ou ignoramos essa realidade, deixamos de entender a essência do evangelho.

Por fim, precisamos, cada vez mais, desenvolver a prática de ler a Bíblia como *um todo coerente*. Figuras como Andy Stanley propõem que "coloquemos de lado o velho e abracemos o novo", deixando claro que o "velho" diz respeito a "legalismo, hipocrisia, justiça própria e exclusividade".[11] Respeitosamente, discordo.

De Gênesis a Apocalipse, a Bíblia é dádiva de Deus para o povo de Deus, testemunho da história extraordinária do compromisso e do interesse de Deus de formar um povo para tornar Deus conhecido no mundo. A partir *dessa* perspectiva, devemos realizar o difícil trabalho de identificar de que maneira a Bíblia é, verdadeiramente, uma só narrativa contínua e harmoniosa. A aliança que Deus fez com seu povo chega ao ápice na pessoa de Jesus, o Messias de Israel, e, por meio dele, se estende a todas as nações.

O fato de Jesus ser judeu é importante; Jesus veio como o ponto culminante de uma história específica, com um povo específico, e *essa* história e *esse* povo continuam a ser importantes para Deus. Quando perdemos de vista essa ideia de vinculação, corremos o risco de nos desligar da história que Deus ainda está contando. Amy-Jill Levine escreve: "Se você não entender corretamente o contexto judaico, certamente não entenderá Jesus corretamente".[12]

É bastante comum no mundo cristão contrastar o Antigo Testamento (que, com frequência, é considerado um registro detalhado dos erros constantes de um povo infiel que vive debaixo do sistema severo e punitivo da "lei") com o Novo Testamento (que representa um modo de graça e amor incondicional divinos considerados distintos das interações de Deus com o povo de Israel). Dentro desse paradigma, a igreja é vista, muitas vezes, como o novo Israel, e a aliança perpétua de Deus com o povo judeu é, na melhor das hipóteses, irrelevante e, na pior, foi anulada.

Essa estrutura levanta questões sérias a respeito da profundidade da fidelidade de Deus e do que esses conceitos podem significar para a igreja em seus erros frequentes. Se a aliança de Israel com Deus foi abolida porque Israel rejeitou Jesus, será que Deus não pode, também, abolir sua aliança com a igreja? Deus é um namorado inconstante, que tem medo de compromisso? Se ele abandonou seu amor passado, que convicção os cristãos podem ter de que a fidelidade divina é confiável? Em resumo, o próprio caráter de Deus está em jogo.

4
Jesus e a pureza ritual

> Mas, então, *Yeshua* se voltou e a viu.
> "Anime-se, filha", disse ele, "sua fé a curou."
> Naquele exato momento, a mulher ficou curada.
>
> MATEUS 9.22, TLV

Enquanto o avião subia, reclinei-me no assento e abri o livro que tinha escolhido para a viagem. Amo todos os aspectos de um dia de viagem: a sensação de simplesmente estar entre dois pontos; o fato de não precisar estar em nenhum outro lugar nem estar fazendo nenhuma outra coisa; a oportunidade de observar as pessoas, andar sem rumo pelo aeroporto e satisfazer o desejo de percorrer o mundo. Em geral, quando possível, evito trabalhar em dias de viagem. O tempo e o espaço de transição são preciosos demais; sempre escolho leituras que me deem prazer, especialmente livros que proporcionem uma experiência de imersão e aos quais eu possa me dedicar o dia inteiro.

Estava em viagem para Boston, onde daria uma palestra em um congresso de mulheres judias messiânicas. Desde que eu havia passado a me identificar cada vez mais com os judeus messiânicos, tinham começado a surgir oportunidades de dar palestras e aulas. Afinal, não é muito fácil encontrar judias messiânicas que estejam fazendo doutorado. Esse congresso havia sido organizado por Roz, esposa de Mark Kinzer. Roz tinha se tornado uma amiga chegada e me convidou para falar. Também nesse caso, pareceu-me ser o próximo passo apropriado em minha jornada.

O livro que escolhi para essa viagem foi *Um ano bíblico*, de A. J. Jacobs. Em poucos minutos eu estava rindo alto e atraindo olhares de estranheza e alguns sorrisos amigáveis de outros passageiros. Como premissa do livro, Jacobs tenta passar um ano seguindo a Bíblia do modo mais literal possível e registra sua jornada em anotações como de um diário. Cada uma focaliza um mandamento bíblico específico. Minha vontade era colocar de lado timidez e constrangimento e fazer uma leitura espontânea em voz alta para todo o avião. O texto era *tão* engraçado que eu queria dividi-lo com outros.

As aventuras de Jacob com tecidos mistos, apedrejamento de gente que não guarda o sábado, manuseio de serpentes e honra às viúvas são cativantes e, com frequência, hilárias.[1] Em uma das anotações, ele explica sua tentativa de evitar a impureza ritual associada a fluxos genitais enquanto a esposa está menstruada (ver Lv 15.19). A esposa não vê a mínima graça e faz questão de sentar-se em todas as cadeiras da casa antes de ele voltar do trabalho. Por fim, ele recorre a um banquinho dobrável que leva consigo por toda parte, pois, afinal, como saber ao certo quem acabou de usar o banco do metrô ou a cadeira do restaurante?[2]

Parte do motivo pelo qual a história é tão engraçada para nós é sua absurdidade, especialmente de acordo com nossa cosmovisão ocidental e a lente habitual que usamos para ler as Escrituras. Hoje em dia, é terrivelmente inapropriado agir de forma diferente caso uma mulher esteja menstruada (ou mesmo perguntar se ela está). E, em geral de modo inconsciente, muitos de nós projetamos nossa cosmovisão sobre as Escrituras.

É fácil esquecer ou desconsiderar que, na Bíblia, questões de pureza ritual *são* importantes. No livro *Jesus and the Forces of Death: The Gospel's Portrayal of Ritual Impurity Within First-Century Judaism* [Jesus e as forças da morte: Como o evangelho retrata a impureza ritual no judaísmo do primeiro século], Matthew Thiessen, estudioso do Novo Testamento, mostra que pureza ritual — de modo nenhum uma esquisitice legalista e arcaica do Antigo Testamento — também era extremamente importante para Jesus. Aliás, a leitura dos Evangelhos através da lente da pureza ritual nos permite entender de uma nova maneira a essência do ministério de Jesus e como ele liga sua vida e sua missão à aliança em vigor entre Deus e o povo de Israel.

༄ ༄ ༄

Voltemos a Mateus 9.18-26. Temos aqui o relato sobre um líder de sinagoga cuja filha morreu. Essa história é interrompida de forma repentina por outra, sobre uma mulher que "sofria de hemorragia" havia doze anos. A própria linguagem das versões em nosso idioma obscurece aspectos fundamentais dessa passagem que a associam a um contexto judaico do primeiro século. As narrativas não parecem ter nenhuma ligação entre si, o que torna a redação do texto estranha e aleatória. É justamente o entendimento do sistema de pureza ritual e da atitude de Jesus em relação a ele que revela o significado dessa interessante passagem.

Primeiro, alguns antecedentes. Como Thiessen explica, a existência do antigo Israel é estruturada em torno de dois conjuntos binários: santo em contraste com profano/comum e puro em contraste com impuro. Os principais focos de santidade são o sábado (ver Êx 20.8-11), o tabernáculo/templo (ver Êx 40.34-38) e o próprio povo de Israel (ver Êx 19.6; Lv 20.26). Uma vez que Deus literalmente *habita* nessas entidades, é necessário que sejam guardadas e administradas de determinada maneira.

Temos de voltar a Gênesis para esmiuçar ainda mais o conceito de santidade para o povo de Israel. Na narrativa da criação em Gênesis, somos informados seis vezes de que Deus contempla o que ele criou e diz que é "bom"; por fim, ele conclui que tudo o que havia feito era "muito bom". No entanto, o ponto culminante da criação não se encontra no sexto dia (em que a criação é concluída), mas no sétimo dia (em que o sábado é abençoado e santificado). Embora tudo o que Deus criou seja considerado *bom* repetidamente, o termo *santo* ocorre apenas em referência ao sábado, e essa é sua única ocorrência em todo o livro de Gênesis.[3]

Ao avançar na narrativa, vemos em Êxodo que o povo remido e liberto de Israel recebe a comissão de ser "meu reino de sacerdotes, minha nação santa" (Êx 19.6). A santidade associada ao sábado se torna mais clara quando o povo de Israel é chamado e formado. O povo santo é devidamente instruído a observar o sábado, o dia santo (Êx 20.8). De modo semelhante, como nação encarregada de trazer a presença divina para a criação, mais adiante Israel recebe a tarefa de construir a habitação terrena de Deus, isto é, o tabernáculo e, posteriormente, o templo. O sábado como tempo santificado e o tabernáculo/templo como espaço santificado têm uma correlação próxima; com efeito, o sábado é um "santuário no tempo", assim como o santuário é um "sábado no espaço".[4]

Dentro dessa estrutura, a história de Israel e sua vida sob a aliança refletem dois elementos estranhamente opostos: por um lado, Israel tem de preservar com grande zelo sua santidade (e, portanto, tratar devidamente de questões de impureza ritual); por outro lado, as Escrituras (especialmente os livros proféticos) apontam para uma expansão transbordante dessa santidade.

O contraste entre esses dois elementos faz lembrar um sermão que ouvi, pregado por meu amigo e colega Scott Cormode, sobre as fontes de Roma que nunca param de fluir, cujas águas estão sempre disponíveis para que todos venham e bebam. Em vez de a água pura constituir um recurso escasso a ser cuidadosamente racionado e repartido, há certa extravagância na prodigalidade das fontes. A santidade confiada a Israel conota um recurso precioso que Israel deve montar guarda para proteger, enquanto a visão profética é análoga às fontes romanas que fluem ilimitadamente.

O sistema de pureza fornece os detalhes práticos básicos do trabalho de administrar e salvaguardar a presença tangível de Deus, trabalho que os israelitas são ordenados a realizar de acordo com o primeiro elemento da narrativa de Israel. Embora as categorias não sejam inteiramente exatas, Thiessen e outros dividem a impureza bíblica em *ritual* e *moral*. A impureza moral se refere a comportamentos pecaminosos (idolatria, incesto, homicídio, etc.) que contaminam o povo, o santuário e a terra. A impureza moral é evitável, proposital, não transmissível, incita castigo divino, requer expiação e, caso persista, leva ao exílio.

A impureza ritual, de modo contrastante, é (em geral) um estado temporário produzido pelo contato com fontes naturais e inevitáveis de impureza. A impureza ritual é transmissível e é superada por "lavar e esperar", isto é, por banhos rituais e tempo. Não é pecaminosa, a menos que o indivíduo se recuse a seguir as prescrições de purificação.

A impureza ritual pode ser dividida em três categorias principais: doenças de pele (em hebraico, *tsara'at*; em grego, *lepra*, termo com frequência entendido incorretamente como sinônimo de hanseníase, o que, com certeza, não era o caso), fluxos genitais e cadáveres. Thiessen explica que cada uma dessas categorias representa as forças da morte, os poderes que operam contra a vida humana e seu desenvolvimento. Se alguém em estado de impureza tem contato com a santidade de Deus, surgem problemas; Deus se afasta da impureza, como vemos em Ezequiel 10.

Portanto, embora a impureza ritual em si mesma não seja pecaminosa, deixar de tratar dela de forma correta pode levar a pessoa ao âmbito do pecado e repelir a presença de Deus. Daí as palavras de Levítico 15.31: "Agindo assim, você manterá os israelitas separados da impureza cerimonial. Do contrário, eles morreriam, pois sua impureza contaminaria meu tabernáculo que está no meio deles". A santidade de Israel depende da capacidade do povo de guardar, preservar e administrar zelosamente a presença de Deus em seu meio.

No entanto, de acordo com o segundo elemento que vemos em todo o Antigo Testamento, a santidade de Deus que habita dentro de Israel se *expandirá* para o mundo comum além de Israel. Em última análise, a santidade de Deus no meio de Israel, o sábado e o tabernáculo/templo apontam para a frente, para a consumação final da criação, para a presença irrestrita de Deus e para a remoção definitiva da barreira entre secular e sagrado. A tradição judaica descreve o mundo por vir como "um dia que será inteiramente sábado",⁵ e as Escrituras (talvez mais destacadamente Zc 14 e Ap 21) apresentam uma visão escatológica em que a santidade de Deus cobre todo o espaço e o tempo.

Essa trajetória está presente desde o início; tem sua origem no chamado de Abrão por Deus ("Por meio de você, todas as famílias da terra serão abençoadas"; Gn 12.3) e é repetidamente ecoada em toda a literatura profética. Isaías imagina o dia em que, "como as águas enchem o mar, a terra estará cheia de gente que conhece o SENHOR" (Is 11.9), e o Senhor declara: "Eu o farei luz para os gentios, e você levará minha salvação aos confins da terra" (Is 49.6). Zacarias 14 antevê o dia em que os objetos mais corriqueiros serão tão santos quanto os utensílios do templo em Jerusalém.

Na narrativa das Escrituras hebraicas, a santidade protegida de Israel coexiste com a visão de que, um dia ("naquele dia"), a presença de Deus fluirá muito além desses parâmetros e limites prescritos.

༄ · ༄ · ༄

De que maneira tudo isso é relacionado a Jesus? Primeiro, fica evidente, agora, que Mateus 9.18-26 (e suas passagens paralelas, Lc 8.41-56 e Mc 5.22-43) tem como foco questões de pureza ritual. Aquilo que as traduções encobrem sutilmente ao falar da "hemorragia" da mulher é uma questão de fluxo genital anormal, que a tornou impura (e, portanto, impossibilitada de entrar nos pátios do templo e, possivelmente, na cidade de Jerusalém) enquanto essa enfermidade durou. Tendo em conta a importância do templo em Jerusalém para a adoração e a vida religiosa, essa foi uma grande perda!

Como entender o fato de que a mulher *tocou* as franjas da vestimenta de Jesus? De acordo com as leis de pureza ritual, esse contato *deveria* ter causado em Jesus um estado de impureza ritual. Na realidade, porém, acontece exatamente o oposto. Em vez de a impureza da mulher ser transferida para Jesus, ele a restaura a um estado de pureza ritual.

De modo semelhante, a filha do líder da sinagoga representa a impureza causada por um cadáver e, portanto, mais uma força que se opõe à vida e ao bem-estar de Israel. Essa passagem também é repleta de linguagem associada a toque. Em Mateus 9.18, o líder da sinagoga pede a Jesus que vá e ponha "as mãos" sobre sua filha que acabou de morrer. Quando Jesus finalmente chega à casa dele, ressuscita a menina ao "tomá-la pela mão" (Mt 9.25, tradução da autora).

Como se fosse um preparativo para esse episódio, a cura por Jesus de um homem com uma doença de pele antecede essa passagem nos três Evangelhos Sinópticos. Não há dúvida: no relato dos Evangelhos do ministério extraordinário de Jesus, ele confronta as três principais fontes de impureza ritual.

Em Mateus, a cura do homem com uma doença de pele é narrada em 8.1-4 e se destaca por ser o primeiro milagre relatado nesse Evangelho (e, portanto, em todo o Novo Testamento!). Embora as curas de Jesus não tenham um padrão definido, Mateus faz questão de observar que, nesse caso, "Jesus estendeu a mão e tocou nele" (Mt 8.3).

Também aqui, em conformidade com o sistema de pureza levítico, essa ação deveria ter levado Jesus a contrair a impureza ritual do homem. No entanto, para provável surpresa abismada e escandalizada dos observadores judeus de Jesus, a santidade e a pureza dele fluem *para fora* e curam o homem; em Jesus, a santidade de Deus começa a se expandir. Uma vez que o homem é curado, Jesus ordena que ele siga o ritual de purificação especificado em Levítico 14. Esse detalhe deixa claro que Jesus não desconsiderou o sistema de pureza e seus detalhes complexos; trabalhou dentro de seus parâmetros, mesmo ao introduzir algo espantosamente novo.

A pureza ritual era um dos elementos fundamentais da vida judaica no segundo templo, e as ações de Jesus revelam que ele personifica um tipo de *santidade contagiosa* que supera as fontes de impureza que contaminam o povo de Deus. Sem entender como funciona o sistema de pureza ritual e como as ações de Jesus evidenciam o irrompimento da santidade de Deus no mundo, deixamos passar despercebida uma parte do testemunho extraordinário do Novo Testamento.

Com a pandemia de Covid-19 ainda gravada na mente e na experiência de toda a população global, a ideia de santidade contagiosa assume significado vívido. Embora impurezas rituais certamente não sejam o mesmo que um vírus que ameaça a vida, é impactante pensar como seria se o contato próximo transmitisse cura em lugar de doença. Em um mundo em que a expressão "distanciamento social" se intrometeu em nosso vocabulário, o toque curativo de Jesus oferece um belo antídoto para o medo e a ansiedade que o contato humano vieram a despertar de forma crescente.

Mateus mostra que a tensão entre a separação (ou o resguardo) divinamente ordenada de Israel e a vocação de Israel de levar a santidade de Deus aos confins da terra se resolve na vida e na obra de Jesus. Nele, a santidade sobrepuja as fontes de impureza; vida copiosa sobrepuja as forças da morte. O reino de Deus está irrompendo no mundo, e é dessa forma que ele se manifesta. Entender o sistema de pureza nos dá vocabulário para entender como a encarnação de Deus em Jesus representa a continuidade da história de Deus com Israel e, ao mesmo tempo, um capítulo radicalmente novo dessa história.

Como a vida e o ministério de Jesus deixaram claro, ele personifica uma "forma concentrada e intensificada de presença divina",[6] evidenciada especialmente por meio da qualidade *invasiva* de sua santidade. Enquanto o contato com pessoas e objetos ritualmente impuros ameaçava profanar a santidade de Israel, a santidade de Jesus *flui dele* para o mundo impuro. Por meio dele, a santidade representada por Israel começa a se propagar por toda a criação, como sempre foi seu propósito.

ಬ • ಬ • ಬ

Esse tema tem continuidade nos capítulos seguintes do Evangelho de Mateus. Quando, em Mateus 11, pede-se a Jesus que ele autentique seu ministério e sua messianidade, ele o faz ao destacar o que pode ser *visto e ouvido* como resultado de sua atuação. Com ecos de Isaías 61, Jesus declara que "os cegos veem, os aleijados andam, os leprosos são purificados, os surdos ouvem, os mortos são ressuscitados e as boas-novas são anunciadas aos pobres" (Mt 11.5). Sua identidade é confirmada pela restauração física tangível que, por seu intermédio, se espalha para o mundo.

O cristianismo ocidental muitas vezes nos leva a vivenciar nossa fé de uma forma que separa o "corpo" do "espírito", mas essa divisão não existe em uma cosmovisão hebraica. O judaísmo sempre foi uma espiritualidade encarnada, em que praticamos nossa fé com o corpo em vez de guerrear contra ele. Aliás, a fé consiste naquilo que os judeus *veem e ouvem* (e também naquilo que comem ou deixam de comer, naquilo que vestem, recitam e declaram e naquilo que agitam na festa de Sukkot).

Talvez o mais importante para nós como seguidores de Jesus nos dias de hoje seja sua instrução aos discípulos em

Mateus 10. O que, exatamente, Jesus comissiona seus primeiros seguidores a fazer? "Vão e anunciem que o reino dos céus está próximo. Curem os doentes, ressuscitem os mortos, purifiquem os leprosos e expulsem os demônios. Deem de graça, pois também de graça vocês receberam" (Mt 10.7-8). É compreensível que essa comissão pareça incômoda para muitos de nós. Afinal, qual foi a última vez que você ressuscitou alguém?

A exemplo de Jesus, também devemos lutar contra as forças tangíveis da morte em nossa cultura. Em um mundo sem templo, precisamos fazer um trabalho de tradução para entender o que isso significa em nosso contexto. Quais são as forças da morte em nossa sociedade? Que fatores exercem efeito opressor sobre o povo de Deus e se opõem ao irrompimento do reino glorioso de Deus em nossa vida e em nossas comunidades? Tenho impressão de que, ao refletirmos sobre essas perguntas, inúmeras respostas nos vêm à mente. Os abatidos, os desamparados, os oprimidos, os derrotados — o "menor destes" — são as pessoas mais suscetíveis a ser "infectadas" pela santidade contagiosa de Jesus. Na verdade, no reino de Deus, a força muitas vezes é disfarçada de fraqueza, e o orgulho levanta barreiras para o encontro com o sagrado.

Por fim, é importante observar que as passagens de Mateus 8—11 das quais acabamos de tratar vêm logo depois do Sermão do Monte (Mt 5—7). O discurso todo de Jesus nessa seção é emoldurado por suas palavras em Mateus 5.17-20:

> Não pensem que eu vim abolir a lei de Moisés ou os escritos dos profetas; vim cumpri-los. Eu lhes digo a verdade: enquanto o céu e a terra existirem, nem a menor letra ou o menor traço da lei desaparecerá até que todas as coisas se cumpram. Portanto,

quem desobedecer até ao menor mandamento, e ensinar outros a fazer o mesmo, será considerado o menor no reino dos céus. Mas aquele que obedecer à lei de Deus e ensiná-la será considerado grande no reino dos céus.

Eu os advirto: a menos que sua justiça supere muito a justiça dos mestres da lei e dos fariseus, vocês jamais entrarão no reino dos céus.

Essa descrição deixa claro que o cumprimento por Jesus da expansão da santidade de Israel *não* implica a rejeição da aliança de Deus com Israel e de seus parâmetros específicos. Jesus é o ápice e a continuação da história de Deus com Israel, e não uma história inteiramente nova. É exatamente a identidade de Jesus como judeu (sua participação e personificação do povo de Israel) que revela para nós a essência de sua missão e, consequentemente, os contornos que deve ter nossa comissão como seus discípulos.

⚜

O tempo que passei em Boston foi extremamente significativo e espiritualmente revigorante, e a palestra que dei tratou, a partir de outro ângulo, das questões que estamos discutindo aqui. Falei sobre como Jesus supera categoricamente a barreira entre judeu e gentio, uma barreira que parece absoluta em algumas passagens do Antigo Testamento, mas bastante permeável em outras (um reflexo das duas linhas de raciocínio que desenvolvemos acima).

Muitas das leis um tanto obscuras acerca das quais lemos na Torá reforçam o tema da *distinção*. Em Levítico 19.19, a assembleia de Israel é instruída a não cruzar animais de espécies diferentes, não plantar em seus campos duas espécies de sementes e não vestir roupas tecidas com dois tipos de pano. Embora haja diferentes interpretações para a aplicação dessas ordens e seu significado, uma coisa fica clara: Deus valoriza distinção e separação.

A distinção entre Israel e as nações talvez seja a distinção principal que todas as outras simplesmente expressam e reforçam. A liturgia *Havdalah* (que os judeus recitam no final do sábado a cada semana) reflete essa ideia de distinção: "Bendito és, Senhor, nosso Deus, Rei do Universo, que fazes distinção entre sagrado e secular, entre luz e trevas, entre Israel e as nações, entre o sétimo dia e os seis dias de trabalho. Bendito és, Senhor, que fazes distinção entre sagrado e secular".[7]

Através da lente veterotestamentária da santidade, a distinção entre Israel e "as nações" (isto é, todos os outros) faz sentido quando lembramos que somente Israel prestava culto ao único Deus verdadeiro, enquanto outros povos adoravam ídolos. A narrativa do Antigo Testamento ilustra repetidas vezes como o envolvimento excessivo com outros povos tende a afastar Israel da adoração a Deus. De modo semelhante, também são essas "nações" que, continuamente, procuram frustrar as promessas de Deus de fazer Israel prosperar e habitar em segurança na terra que lhe foi entregue.

Muitos pressupõem que essa distinção simplesmente foi abolida no Novo Testamento. Afinal, Paulo não diz em Gálatas 3.28 que "não há mais judeu nem gentio [...] pois todos vocês são um em Cristo Jesus"? E, no entanto, concluir que essa distinção foi apagada é ignorar outro elemento importante do Novo Testamento, de acordo com o qual o movimento de seguidores de Jesus tem como propósito, em seu início, a *reconciliação* entre judeus e gentios. As "nações" não afastam mais Israel da verdadeira adoração a Deus; antes, unem-se a Israel para prestar culto ao Senhor! Afinal, no mesmo versículo que acabamos de citar, Paulo declara que não há mais "homem nem mulher", mas outros textos seus deixam bastante claro que a distinção entre homens e mulheres permanece.

Com a vinda de Jesus, judeus e gentios prestam culto juntos ao único Deus verdadeiro. Lado a lado, em união, judeus e gentios são embaixadores da santidade de Cristo que se expande e se propaga. A distinção entre Israel e as nações permanece, mas tem aspecto diferente. Não é mais sinônimo de divisão, conflito ou hierarquia. A fidelidade a Deus não é mais uma questão de Israel se separar das nações ao seu redor; agora, Israel trabalha em parceria com essas nações para concretizar o reino de Deus.

Afinal, essa é a realidade profetizada de longa data: "Naquele dia, Israel será o terceiro, junto com o Egito e a Assíria, uma bênção no meio da terra. Porque o SENHOR dos Exércitos dirá: 'Bendito seja o Egito, meu povo. Bendita seja a Assíria, a terra que criei. Bendito seja Israel, minha propriedade especial'" (Is 19.24-25). Essa visão é ainda mais comovente quando lembramos que foi das mãos poderosas e inclementes dos egípcios que Deus arrancou o povo de Israel no livro de Êxodo, e, muito tempo depois, foram os assírios que conquistaram Israel, o reino do norte, e dispersaram as dez tribos que habitavam ali.

Como expliquei em Boston, essa mudança é apresentada de modo incisivo em outra passagem do Novo Testamento que percorre o território da pureza veterotestamentária: a visão de Pedro em Atos 10. A princípio, a visão de Pedro parece tratar do consumo de animais não sancionados pela lei judaica (o que, é bom destacar, ele *nunca* havia feito, nem mesmo desde que tinha se tornado seguidor de Jesus!). E, portanto, muitos concluem logo de cara que, com a vinda de Jesus, as leis alimentares *kosher* são abolidas.

No entanto, de que maneira Pedro interpreta a visão em Atos 11 e em Atos 15? Na verdade, não tem nenhuma relação com alimentos; antes, diz respeito à *interação de judeus com gentios*. Diz respeito à vinda do Espírito de Deus sobre gentios da mesma forma que o Espírito veio sobre judeus em Atos 2. Diz respeito à comunhão próxima em meio à distinção, importante característica da comunidade neotestamentária do Messias.

Em alguns casos, a interpretação bíblica cristã encobre questões fundamentais que ficam evidentes uma vez que enxergamos o texto pela lente de seu contexto judaico. A compreensão equivocada da relação de Jesus com a pureza ritual pode nos levar a crer que ele simplesmente desconsiderou todo o sistema e, com isso, pode obscurecer a forma muito mais impressionante como ele interagiu com o sistema. De modo semelhante, uma leitura sem nuanças de Atos e das cartas de Paulo pode levar à conclusão de que o Novo Testamento suprime cabalmente temas fundamentais do Antigo Testamento.

Como Thiessen explica, quando Jesus discorda de outras figuras de autoridade judias de sua época ou as rebate, apressamo-nos em imaginar que ele estava descartando todo o judaísmo e fundando algo novo chamado cristianismo. No entanto, essa abordagem desconsidera a realidade de que o judaísmo sempre abarcou a discussão de como aplicar e interpretar a palavra e os mandamentos de Deus. De acordo com um velho ditado, "Onde há dois judeus, há três opiniões", o que se aplica à existência judaica ao longo dos séculos e em nossos dias. Nesse sentido, uma compreensão correta do judaísmo nos permite reimaginar a relação de Jesus com ele; Jesus não o eliminou, mas, sim, mostrou como, por meio dele próprio, o judaísmo estava sendo apresentado da forma como os profetas haviam prenunciado. Os acontecimentos que figuras como Isaías só puderam imaginar e orar para que se concretizassem agora estavam se tornando realidade.

5
"A terra que eu lhe mostrarei"

> Levantará uma bandeira entre as nações
> e reunirá os exilados de Israel.
> Ajuntará o povo disperso de Judá,
> desde os confins da terra.
>
> Isaías 11.12

Era dezembro de 2007, e eu estava no saguão do hotel Jerusalem Gold, esperando para me encontrar pessoalmente pela primeira vez com o rabino Stein. Em poucas horas, nosso grupo sairia para o aeroporto Ben Gurion, de onde embarcaríamos de volta para os Estados Unidos depois de passar dez dias alucinantes em Israel. Meus pensamentos estavam em turbilhão e, enquanto eu olhava pela janela que dava para o estacionamento, imagens de nossa viagem dançavam em minha mente.

As pedras da cor de areia que cercavam a Cidade Antiga de Jerusalém, os montes cobertos de relva na Galileia, a vastidão cintilante do mar Mediterrâneo. A cidade mística de Tzfat, no alto do monte, com ruas sinuosas de paralelepípedo e colônias ecléticas de artistas, a paisagem austera do deserto e a turva água salgada do mar Morto. A sensação era de que eu tinha revivido capítulos importantes da história ao visitar esses lugares cujos nomes aparecem espalhados pelas páginas da Bíblia.

Para começar, minha participação em uma viagem da organização Direito Inato Israel foi algo extremamente improvável. Direito Inato Israel é uma organização de turismo educativo cuja missão, em parceria com o estado de Israel e com filantropos particulares, consiste em "dar a todo jovem adulto judeu do mundo inteiro, especialmente aqueles que têm menos ligações com seu povo, a oportunidade de visitar Israel em uma viagem educativa".[1] Com quase 27 anos, eu estava próxima do limite de idade e, de longe, era a participante mais velha do grupo; a maioria tinha entre 18 e 22 anos.

Em uma época em que judeus no início da vida adulta muitas vezes se afastam de sua identidade e herança judaica, o objetivo da viagem é promover uma ligação mais profunda com o judaísmo por meio do contato com a terra natal bíblica e histórica do povo judeu. Desde o início do programa, em 1999, mais de 750 mil pessoas de 68 países participaram de viagens do Direito Inato Israel. Ah, e um detalhe: as viagens são *gratuitas*.

À medida que passei a me identificar cada vez mais como judia messiânica, comecei a sentir o desejo intenso de visitar Israel. A proeminência dessa terra na Bíblia e na liturgia judaica estava se evidenciando para mim de nova maneira, e eu tinha a forte impressão de que entender Israel era importante para entender a aliança de Deus ainda em vigor com o povo judeu.

Quando soube da experiência de uma amiga do ensino médio em uma dessas viagens, resolvi me candidatar. Em meu formulário, declarei de forma desajeitada e sem rodeios que era seguidora de Jesus, e fui rejeitada de imediato. Muitos judeus consideram a "conversão" ao cristianismo (uma expressão que eu jamais usaria para descrever minha jornada espiritual) sinônimo de abandono do judaísmo, e sem dúvida há uma medida de verdade nessa conclusão. Historicamente, falar de conversão reflete de modo preciso a realidade de que um indivíduo é judeu ou cristão (não ambos), e a conversão ao cristianismo é a maneira mais garantida de se separar da vida do povo judeu. Não era dessa forma que os primeiros discípulos de Jesus teriam descrito a si mesmos, e hoje em dia é cada vez mais possível a fé em Jesus *aprofundar* a pessoa em sua identidade judaica em vez de afastá-la dela.

Fiquei decepcionada por não ter sido aceita e coloquei a ideia de lado. Depois de algum tempo, contudo, senti-me impelida a me candidatar novamente. Aliás, foi uma das poucas vezes em minha vida em que creio que ouvi Deus de forma direta e clara. Enquanto eu orava sobre a viagem, tive a impressão de que Deus literalmente interrompeu minha oração e disse: "Eu já abri essa porta para você".

Tive dificuldade de confiar nessa experiência estranha. Não sabia muito bem como entendê-la, nem se havia sido real, mas a considerei, no mínimo, incentivo divino para atender ao impulso que senti. Assim, passei novamente pelo processo para me candidatar a uma vaga.

Uma vez que eu desejava ter uma experiência religiosa (e não apenas cultural) completa de Israel, candidatei-me por intermédio de uma agência judaica ortodoxa. Dessa vez, fui mais discreta a respeito de minha crença em Jesus, com base na convicção de que meu propósito com essa viagem não era evangelizar ninguém, mas apenas explorar a terra de meus antepassados, aprender mais a seu respeito e aprofundar minha identidade judaica. Prometi a mim mesma, porém, que não esconderia a verdade caso o assunto viesse à baila. Sentia necessidade de ser honesta, o que, em minha mente, não era o mesmo que oferecer informações que não haviam sido solicitadas.

Meu formulário passou tranquilamente por todas as etapas do processo burocrático, até chegar à entrevista obrigatória com um rabino, o que, imagino eu, em geral era uma formalidade cumprida em dez minutos. No meu caso, não foi o que aconteceu.

"O que levou você a querer viajar para Israel?", perguntou o rabino Stein, meu entrevistador e representante do grupo que estava organizando a viagem. Achei estranho ele me ligar às cinco da tarde na Califórnia (oito da noite em Nova York, onde ele morava), e ele logo comentou que estava atrasado na finalização dos detalhes da viagem.

Minha boca secou e, inesperadamente, senti vontade de contar minha história. Expliquei que o fato de ter me tornado seguidora de Jesus (evitei, de propósito, o termo "cristã") havia gerado em mim forte desejo de me aprofundar em minha identidade judaica. O rabino ouviu com atenção e fez algumas perguntas ligadas ao meu relato. Para minha surpresa, a entrevista durou uma hora e meia. A maior parte do tempo foi cheia de conversa animada e de grande interesse da parte dele. Por fim, ele me perguntou algo que me pôs em silêncio: "Jen, o que você encontrou no cristianismo que não encontrou no judaísmo?".

Ao refletir sobre sua pergunta, nenhuma resposta rápida e fácil veio à mente. A expiação feita pelo Messias? O judaísmo também tem mecanismos para expiação. Direção para questões de fé? Isso era algo que o judaísmo oferecia muito antes de Jesus entrar em cena. Uma ligação com Deus? A própria essência do judaísmo foi construída sobre essa ligação. Depois de uma longa pausa na conversa, finalmente respondi: "Não sei bem como responder a essa pergunta, rabino".

Então, ele me contou um pouco de sua história. Ele havia crescido em um lar com mãe judia e pai católico e, por fim, havia chegado a um ponto em que teve de decidir qual tradição ele próprio desejava adotar. Escolheu o judaísmo e, desde então, tem se aprofundado nas riquezas da vida judaica.

O rabino Stein permitiu que eu participasse da viagem, talvez em razão de sua jornada pessoal. "Só não tumultue", ele advertiu, pedindo que eu não falasse de minha fé em Jesus com ninguém durante a viagem. "Eu não vou coordenar a viagem, mas vou estar em Israel na mesma época. Quero me encontrar pessoalmente com você para continuarmos nossa conversa quando nós dois estivermos lá."

∽•∽•∽

Lech lecha. "Deixe sua terra natal, seus parentes e a família de seu pai e vá à terra que eu lhe mostrarei" (Gn 12.1). A ordem para que Abraão fosse à terra que Deus revelaria está inserida na base da aliança de Deus com Abraão e seus descendentes. Essa ligação próxima permaneceu ao longo dos séculos, e sempre houve um vínculo indestrutível entre o povo de Israel e a terra de Israel.

Nas palavras do rabino Hayim Halevy Donin, a posse da terra de Israel é "o fulcro histórico da aliança de Israel com Deus". Ele explica:

> Somente no solo de Israel todos os mandamentos do Senhor poderiam ser implementados; somente no solo de Israel [...] o santuário permanente do povo judeu poderia ser construído;

somente no solo de Israel os filhos de Israel desenvolveriam todo o seu potencial como povo; somente no solo de Israel as promessas de Deus a Israel e suas bênçãos se tornariam realidade. [...] Uma vez que o povo foi chamado para ser "povo santo", sua terra devia ser "terra santa".[2]

Essa realidade é fortemente entremeada com a vida e o culto comunitários do povo judeu. Três vezes por dia, o judeu religioso recita o *Amidah*, oração feita em pé, que (com base em Is 11.12) suplica para que Deus "levante bem alto a bandeira para reunir nossos exilados, e nos reúna dos quatro cantos da terra".[3]

Depois das refeições, judeus recitam o *Birkat Hamazon*, em que agradecemos a Deus por "ter dado como herança para nossos antepassados uma terra preciosa, boa e espaçosa; por ter nos tirado, Senhor, nosso Deus, da terra do Egito, e nos redimido da casa de servidão".[4]

O dia mais triste do calendário judaico é o nono dia do mês de av, em que os judeus se recordam da destruição de Jerusalém pelos babilônios (em 586 a.C.) e pelos romanos (em 70 d.C.). Tanto o *seder* (refeição tradicional) da Páscoa judaica quanto a liturgia de Yom Kippur, o Dia da Expiação, se encerram com a esperançosa exortação: "No próximo ano, em Jerusalém!".

Mesmo durante um longo exílio distante da terra de Israel, o povo judeu não deixou de ter esperança, de orar e de crer que, um dia, Deus o levaria de volta a sua terra. Em certo sentido, períodos de exílio serviram para *fortalecer* o vínculo entre o povo judeu e a terra de Israel. Nas palavras do filósofo judeu Franz Rosenzweig, o povo judeu é como "um cavaleiro mais fiel a sua pátria quando se demora em suas viagens e aventuras e que, nessas ocasiões, anseia mais pela terra natal que ele deixou do que quando está em casa".[5]

A ligação histórica e teológica perene entre a terra de Israel e o povo de Israel é inquestionável; a estrutura e a narrativa de todo o Antigo Testamento são edificadas sobre o alicerce dessa ligação, que permanece desde então na vida coletiva do povo judeu.

A questão da terra se complica quando entram em cena Jesus e o cristianismo. A função e a importância da terra de Israel no Novo Testamento apresentam uma ampla (e controversa) gama de interpretações. Muitos concluem que a terra de Israel perdeu sua relevância depois da vinda de Jesus, e que o conceito de "terra santa" se tornou obsoleto.

Em nossos dias, a discussão bíblica sobre a terra é envolta por uma camada adicional de complexidade: o estado moderno de Israel. Embora a existência de um estado judaico seja celebrada pela maioria dos judeus de todos os matizes (bem como por muitos cristãos), a situação política fortemente arraigada ameaça lançar sua sombra sobre a percepção cristã da terra. Especialmente para estudiosos do Novo Testamento, a interpretação de que Jesus mantém a promessa da aliança feita por Deus da terra para o povo judeu corre o risco de deixar implícito algum tipo de apoio tácito ao estado moderno de Israel e a suas políticas.

E, no entanto, a centralidade permanente da terra prometida persiste no Novo Testamento e foi fundamental para a missão e a mensagem de Jesus.

ᘛ•ᘛ•ᘛ

Enquanto eu arrumava as malas para a viagem, refleti com cuidado sobre quais livros levar e quais deixar em casa. Levei apenas um Tanakh (o que os cristãos chamam de "Antigo Testamento") e algumas obras de autores judeus que eu estava estudando para minha dissertação de doutorado. Minha única ligação material com Jesus durante a viagem foi meu iPod, cheio de cânticos de louvor cristãos. Fiz questão de me excluir da brincadeira frequente de "vamos trocar iPods!", que se tornou uma atividade favorita de meus companheiros de viagem nas muitas horas que passamos indo de um lugar para outro de ônibus.

Durante os trajetos pelo país, eu me aninhava em um banco perto da janela, com música de louvor tocando secretamente em meus ouvidos, e observava as colinas que se estendiam no horizonte. Causou forte impressão em mim a ideia de que esse foi o único lugar na terra que Deus contemplou com olhos humanos e percorreu com pés humanos. Foi o pó dessa terra que se apegou a suas roupas e a sua pele, e foi nesses montes e vales que ele ensinou as parábolas que lemos nos Evangelhos. Ao avistar o litoral de Tel Aviv depois da longa viagem de Nova York, emocionei-me com a realidade tangível, diante de meus olhos, do longo exílio do povo judeu que, finalmente, havia chegado ao fim.

Tínhamos passado nosso último Shabbat em Tzfat, e acordei cedo no sábado, vesti um suéter grosso de lã e caminhei até uma pequena praça com vista para os montes cobertos de florestas no norte de Israel. Minha colega de quarto do grupo Direito Inato ainda dormia, e respirei o ar frio e revigorante, desfrutando o tranquilo silêncio que me cercava. Abri meu Tanakh em Isaías e comecei a ler o capítulo 49: "Pode a mãe se esquecer do filho que ainda mama? Pode deixar de sentir amor pelo filho que ela deu à luz? Mesmo que isso fosse possível, eu não me esqueceria de vocês! Vejam, escrevi seu nome na palma de minhas mãos; seus muros em ruínas estão sempre em minha mente" (Is 49.15-16).

Enquanto olhava para o vale abaixo, maravilhei-me do compromisso de Deus com o povo de Israel, que incluía o compromisso de Deus com aquele pedaço específico de terra. Esse povo gravado nas mãos de Deus, os muros desse lugar diante dos olhos de Deus. Fui cativada pelo mistério e pela beleza, e no último dia da viagem experimentei, ao mesmo tempo, plenitude e anseio ao me recordar dos dez dias extremamente cheios que havíamos passado em Israel.

— Olá, Jen! — as palavras do rabino Stein me despertaram de meu devaneio. — Que bom poder finalmente conhecer você. Como foi a viagem? — ele sentou-se na cadeira de couro diante da minha, arrastando-a para um pouco mais perto.

— Prazer em conhecê-lo também, rabino Stein. A viagem foi incrível. Muito obrigada, mais uma vez, por permitir que eu participasse.

Em meio à agitação do movimentado saguão do hotel, continuamos a conversa que havíamos iniciado dois meses antes, durante a entrevista por telefone. Ele parecia sinceramente curioso sobre minha experiência em Israel e como ela se encaixava no desenvolvimento de minha jornada de fé.

— Depois desses dez dias que passei em Israel, creio que finalmente tenho uma resposta para sua pergunta sobre o que encontrei no cristianismo que não encontrei no judaísmo — eu disse ao rabino.

Os olhos dele se arregalaram um tanto.

— É mesmo? Prossiga.

Descrevi para ele um acontecimento que me impressionou em um dos dias que passamos conhecendo Jerusalém, enquanto nosso ônibus serpenteava pela rua Sultão Suleiman, no extremo norte da Cidade Antiga, entre a Porta de Damasco e o bairro árabe de Bab a-Zahara. À medida que víamos pela janela as placas em árabe nos prédios e os pedestres usando hijabs, uma atitude geral de medo e antipatia aflorou no ônibus. "Eu jamais iria ao leste de Jerusalém", disse um de meus companheiros de viagem. "Eu também não", disse outro. "Não me sentiria seguro cercado de árabes", concluiu o terceiro.

Sem dúvida, as tensões entre judeus e árabes na região são palpáveis e têm raízes profundas. Por vezes, a sensação de rivalidade e ódio transborda em violência e retribuição.

— Mas — comentei com o rabino Stein — Jesus ordena que *amemos nossos inimigos*. É como se ele absorvesse o ódio, em vez de perpetuá-lo. E, de algum modo, creio que devemos fazer o mesmo.

O rabino Stein se inclinou para trás na cadeira, pensativo.

— Você tem razão — ele respondeu depois de uma longa pausa. — Essa não é uma virtude judaica.

❦

Muitos intérpretes do Novo Testamento procuraram, de diversas maneiras, minimizar ou eliminar a importância da terra. A ligação significativa com a terra é considerada uma dimensão obsoleta e provinciana da religião judaica que Jesus supera intencionalmente. Esses estudiosos escrevem sobre um reino "espiritual", no qual não há lugar para apego a um pedaço específico de terra. Em resumo, apresentam um Jesus que não demonstrou nenhum interesse pela terra de Israel e, portanto, divergiu nitidamente do judaísmo de sua época nesse ponto.

O que parece estranho é o fato de estudos acadêmicos cristãos e a interpretação do Novo Testamento contemporâneos focalizarem cada vez mais a *reapropriação* da identidade judaica de Jesus e do texto. No entanto, esses mesmos estudiosos refletem profundo ceticismo para com a importância contínua da terra para Jesus e os cristãos ao longo dos séculos.[6] O que resta, portanto, é uma enorme incoerência. Uma analogia antiquada seria dizer que é como transformar Jesus no boneco Senhor Cabeça de Batata. Nós o enfeitamos com coisas que parecem nobres e puras de acordo com nossos virtuosos padrões modernos e deixamos de fora coisas que pareçam esquisitas, diferentes ou difíceis de explicar. No final, construímos um Jesus à nossa imagem, projetando nossa cosmovisão sobre ele e sobre a cosmovisão dele. Uma vez que não temos certeza do que fazer com a centralidade da terra ao longo de toda a Bíblia, nem do que ela talvez signifique para o cristianismo contemporâneo, encontramos motivos lógicos para simplesmente eliminá-la.

Não é de surpreender que a complexidade da política israelense moderna costume estar por trás dessas decisões de "roupagem"; para alguns cristãos, declarar a ligação de Jesus com a terra pode constituir defesa não intencional das ações do estado de Israel, uma associação controversa para o cristianismo. Há cristãos de todos os matizes políticos, desde os que apoiam o estado moderno de Israel e sancionam todas as suas ações, até os que defendem o movimento BDS[7] e se solidarizam com a difícil situação dos palestinos (e outros grupos marginalizados no cenário político israelense). Precisamos tomar cuidado para *não* projetar a situação política de nossos dias em um contexto do primeiro século.

Felizmente, há uma linha emergente dos estudos acadêmicos cristãos (e judaicos messiânicos) segundo a qual deixamos passar algo fundamental quando não atentamos para a importância da terra no Novo Testamento. Por exemplo, o *Novo Sionismo Cristão*[8] conta com estudiosos e teólogos que identificam uma vibrante e impetuosa correnteza de teologia da terra abaixo da superfície da aparente escassez de referências a esse assunto no Novo Testamento.

Joel Willitts, estudioso de Mateus, propõe que o foco do Evangelho sobre a "identidade e a importância de Jesus de Nazaré como Messias há muito aguardado de Israel"[9] anda lado a lado com a restauração territorial; em outras palavras, Mateus toma por certo esse aspecto da proclamação do reino por Jesus. Ele é *pressuposto*. Nas palavras de Willitts: "A restauração de Eretz Israel [a terra de Israel] é uma *premissa* fundamental das principais implicações teológicas da narrativa de Jesus apresentada por Mateus".[10] O evangelho expressa "uma *consciência perene da terra* que se alinha com a esperança territorial judaica tradicional".[11]

Esse é mais um ponto em que a questão da tradução bíblica enviesada se manifesta. Aqueles que creem que Jesus não tinha interesse especial pela pequena terra de Israel, mas, sim, pelo mundo todo, costumam citar Mateus 5.5: "Felizes os humildes, pois herdarão a *terra*" (grifo da autora). E, no entanto, há consenso crescente entre estudiosos bíblicos de que, na verdade, uma tradução mais adequada para esse versículo é: "Felizes os humildes, pois herdarão o *território*", isto é, a *terra de Israel*.[12] Sem dúvida, esse versículo reflete Salmos 37.11 ("Os humildes possuirão a terra e viverão em paz e prosperidade"), em que se reconhece, universalmente, que o termo hebraico *erets* se refere à terra de Israel. Aliás, o Salmo 37 como um todo expressa a realidade de que a terra sempre fez parte da aliança perene de Deus com o povo de Israel (ver, p. ex., Dt 30).

Mark Kinzer propõe que a prioridade da terra prometida está entretecida em todo o Novo Testamento. Em sua obra sobre Lucas—Atos, ele diz: "Atos dos Apóstolos (lido à luz do Evangelho de Lucas) apresenta um *euangelion* [evangelho] dirigido especialmente ao povo judeu, e cujo conteúdo é relacionado à consumação da história judaica. Essa consumação abrange exílio e regresso do povo judeu a sua terra e a sua capital".[13] A verdade é que, se não captamos a importância contínua da *terra* de Israel, deixamos de enxergar um elemento fundamental da aliança perene de Deus com o *povo* de Israel. De modo semelhante, se não captamos a ligação de Jesus com a terra e sua esperança para ela, deixamos de enxergar uma parte essencial de sua identidade como Messias de Israel.

෴ • ෴ • ෴

Em última análise, o que está em jogo em uma declaração cristã da relevância contínua da terra de Israel? Primeiro, afirmar que a terra não importa mais para Jesus e seus seguidores é desvincular o Novo Testamento do Antigo Testamento. Infelizmente, essa desvinculação é predominante na interpretação bíblica cristã. Dizer que Jesus anula, de algum modo, a centralidade da terra na aliança de Deus com Israel cria um contraste entre Jesus e o povo judeu. Em resumo, a fim de entender corretamente o evangelho, temos de entender o que a terra significava para Jesus e para sua proclamação do reino vindouro de Deus.

Esse contraste comum nos leva a um segundo ponto. Desconsiderar ou negar que a terra continua a ser importante revela dificuldade de entender e de representar corretamente o judaísmo. A terra sempre esteve inserida na identidade do povo judeu na aliança e em seu relacionamento com Deus, uma ligação que remonta ao chamado de Abraão em Gênesis 12 e permanece até hoje. Aliás, vivemos em uma era extraordinária, em que o povo judeu voltou a ter soberania sobre sua terra pela primeira vez em dois mil anos.

Embora a relação do judaísmo com a terra seja complexa e multifacetada, e embora a questão da política do estado moderno de Israel tenha grande importância, é fato inegável que a terra de Israel é um elemento central da eleição, por Deus, do povo judeu. Se temos como objetivo entender o judaísmo, não podemos varrer esse fato essencial para debaixo do tapete. Logo, se desejamos compreender Jesus, o judeu, temos de nos aprofundar nesse aspecto da identidade de Jesus e de sua forma de interagir com o mundo.

No fim das contas, uma declaração cristã da relevância contínua da terra de Israel é parte fundamental do compromisso cristão de solidariedade com o povo judeu. Se o povo de Israel e o corpo de Cristo se encontram unidos como um só povo de Deus, os interesses da comunidade judaica também devem ser os interesses da igreja cristã.

Atualmente, temos visto o crescimento do antissemitismo global, bem como o reaparecimento de posicionamentos extremos contra o estado de Israel e sua legitimidade. *Novo antissemitismo* é a expressão usada para descrever um posicionamento antissionista[14] extremo que condena o estado de Israel e alimenta, cada vez mais, formas virulentas de ódio contra o povo judeu.

O cenário político de Israel e do Oriente Médio de modo mais amplo é inegavel e irredutivelmente complicado. Ao mesmo tempo, Israel é, com frequência, o bode expiatório das tensões incessantes da região, e a mídia costuma ignorar os esforços incomparáveis de Israel de preservar o bem-estar de seus cidadãos, bem como o bem-estar daqueles que se posicionaram como inimigos de Israel. Embora os cristãos não precisem apoiar todas as ações do governo israelense, certa fluência a respeito de questões importantes e compromisso com a defesa do povo judeu no mundo inteiro demonstram compromisso concreto com o bem-estar do povo da aliança de Deus, a raiz na qual a igreja cristã foi enxertada.

6
Corpo

> Não envolver nosso corpo na religião
> é excluir a religião de nossa vida.
>
> DALLAS WILLARD

"Jen, pode reduzir a iluminação?"

Estava com um grupo de amigos judeus messiânicos; aos poucos, alguns deles vinham se tornando minha principal comunidade espiritual. Tínhamos passado juntos a tarde do Shabbat, rindo, comendo e contando histórias. O Shabbat tem algo mágico no judaísmo, e esse Shabbat específico não foi exceção. Sentia-me cada vez mais *eu mesma* à medida que acolhia minha identidade judaica, e essa comunidade de judeus messiânicos estava me ajudando a vivenciar a ligação entre essa identidade e a fé no Messias.

Agora, o sol havia se posto e as estrelas tinham aparecido no céu, indicação clara de que o Shabbat havia chegado ao fim e uma nova semana se iniciava. Reduzi a iluminação, meu amigo Joshua acendeu a vela trançada e começamos a cantar a melodia da liturgia de Havdalah. Em hebraico, o termo *havdalah* significa separação, e esse culto breve marca o final do Shabbat e o início da noite de sábado.

LITURGIA DE HAVDALAH

Eis que Deus é minha salvação. Confiarei nele e não temerei (Is 12).
O Senhor, o Senhor, é minha força e meu cântico.
Ele se tornou minha salvação.
Com alegria vocês tirarão água dos mananciais de salvação.
A salvação é do Senhor; tua bênção está sobre teu povo, *Selá* (Sl 3).
O Senhor dos Exércitos está conosco,
o Deus de Jacó é nossa fortaleza, *Selá* (Sl 46).
Senhor dos Exércitos, feliz é aquele que confia em ti (Sl 84).
Salva-me, Senhor! Que o Rei nos atenda no dia que clamarmos (Sl 20).
Para os judeus, há luz e satisfação,
alegria e honra; que assim seja para nós (Et 8).
Erguerei o cálice da salvação e invocarei o nome do Senhor (Sl 116).
Bendito és, Senhor nosso Deus, Rei do Universo,
que crias o fruto da videira.
Bendito és, Senhor nosso Deus, Rei do Universo,
que crias as diversas especiarias.
Bendito és, Senhor nosso Deus, Rei do Universo,
que crias as luzes do fogo.
Bendito és, Senhor nosso Deus, Rei do Universo,
que fazes distinção entre sagrado e secular, entre luz e trevas, entre Israel e as nações, entre o sétimo dia e

> os seis dias de trabalho. Bendito és, Senhor, que fazes distinção entre sagrado e secular.

O Havdalah é uma ilustração especialmente vívida da natureza encarnada da espiritualidade judaica, pois envolve intensamente os cinco sentidos. Depois de algumas orações introdutórias (constituídas de versículos de Salmos, Isaías e Ester), pronunciamos uma bênção sobre o cálice de vinho. *Bendito és, Senhor nosso Deus, Rei do Universo, que crias o fruto da videira.* O significado do vinho (e do pão) no judaísmo é precursor da instituição da Ceia do Senhor por Jesus. O Shabbat é iniciado com um cálice de vinho na sexta-feira à noite e termina com o vinho do Havdalah, uma lembrança da doçura do Shabbat e da presença constante de Deus conosco mesmo depois que esse dia termina.

Em seguida, pronunciamos uma bênção sobre um pequeno pote de especiarias, geralmente de aroma doce, como canela e cravo, e todos os presentes inalam seu aroma. *Bendito és, Senhor nosso Deus, Rei do Universo, que crias as diversas especiarias.*

Embora haja várias interpretações distintas para o significado das especiarias (dois judeus, três opiniões, lembra?), minha predileta é de que elas nos renovam diante da tristeza do fim do Shabbat. Essa é uma importante janela que nos permite vislumbrar como os judeus vivenciam o Shabbat, e a Torá de modo mais geral. Embora, para quem olha de fora, as observâncias judaicas pareçam uma porção de regras empoeiradas e restritivas, a verdade é que os judeus geralmente se *deleitam* na Torá. O Salmo 119 apresenta um maravilhoso retrato desse conceito. O versículo 35, por exemplo, diz: "Faze-me andar em teus mandamentos, pois neles tenho prazer", e o versículo 72 declara: "Tua lei é mais valiosa para mim que milhares de peças de ouro e de prata".

É especialmente o caso em relação ao Shabbat. É um tempo para nos afastarmos das pressões do mundo de trabalho e acolher a alegria e a beleza da família e da comunhão. Os judeus que observam o Shabbat também se abstêm de tecnologia nesse dia, uma prática especialmente marcante, contracultural e libertadora.

Em seguida, pronunciamos uma bênção sobre a luz da vela trançada de Havdalah. *Bendito és, Senhor nosso Deus, Rei do Universo, que crias as luzes do fogo.*

Semelhante ao vinho, a luz de velas é repleta de significado no judaísmo, como no cristianismo. Velas são acesas para iniciar o Shabbat, e acender a vela de Havdalah marca o final do sábado, uma vez que a Torá proíbe acender fogo *no* Shabbat (Êx 35.3). O fato de Jesus vir como luz do mundo (e comissionar seus seguidores para que sejam o mesmo) infunde novo significado e nova importância a tradições judaicas como o Havdalah e a celebração de Hannukah.

Enquanto pronunciamos essa bênção, estendemos as mãos em direção ao fogo e refletimos sobre sua translucidez, outra lembrança de que é por meio de nosso corpo que experimentamos e conhecemos Deus. Por fim, a liturgia de Havdalah se encerra com uma litania de distinções e nos lembra de que os alicerces da criação são edificados sobre distinções.

Portanto, em uma simples cerimônia de Havdalah de cinco minutos, nós *provamos* o vinho, *cheiramos* as especiarias, *olhamos* para a chama, *ouvimos* os cânticos melodiosos e *tocamos* o pote de especiarias. O Havdalah oferece um pequeno vislumbre da espiritualidade inteiramente encarnada do judaísmo.

∽•∽•∽

Por volta de 370 a.C., o ilustre filósofo grego Platão escreveu o diálogo *Fedro*. Nele, Platão apresenta sua famosa alegoria da biga para explicar seu conceito da alma humana. De acordo com a analogia, a alma é como um par de cavalos alados com seu condutor. Um dos cavalos é branco e representa todas as coisas nobres e louváveis; o outro cavalo é preto e representa o oposto. Se uma alma não consegue arrear o cavalo preto, ela perde suas asas, é puxada para a terra e encarnada em um corpo. Essa é a versão de Platão de uma espécie de "queda", um relato da catástrofe cósmica que deixou o mundo em seu presente estado. Convém observar que, para Platão, o fato de termos corpo é resultado de algo *que deu terrivelmente errado*.

Esse relato é compatível com a filosofia mais ampla de dualismo de Platão. Para os dualistas, há, na verdade, dois mundos separados: um é físico, material e temporal; o outro é invisível, etéreo e eterno. Como vemos na alegoria da biga, nosso corpo pertence ao mundo material e, portanto, estamos presos aos processos físicos de mudança, declínio e, por fim, morte. Nossa alma, porém, tem origem no mundo invisível e, depois da morte, volta para ele a fim de receber recompensa ou castigo.[1]

De acordo com esse paradigma, o objetivo da espiritualidade é, de algum modo, transcender o corpo e o mundo físico a fim de alcançar um plano de existência mais elevado e desencarnado. Nosso corpo é, portanto, o principal obstáculo para a vida espiritual; se conseguirmos encontrar uma forma de refreá-lo e controlá-lo, estamos a caminho de deixá-lo para trás.

Algumas dessas ideias lhe parecem conhecidas? Parecem bíblicas? A realidade fascinante é que o Novo Testamento foi redigido em um ambiente greco-romano em que conceitos desse tipo predominavam. E, no entanto, essa cosmovisão é nitidamente distinta de uma cosmovisão judaica, hebraica. Embora essas duas versões da realidade pareçam estar em conflito em algumas passagens do Novo Testamento (ver, p. ex., Rm 7.21-24 e Cl 3.1-5), depois da separação que ocorreu entre judaísmo e cristianismo, a versão greco-romana acabou por dominar a narrativa cristã (especialmente a teologia protestante evangélica), enquanto a versão judaica-hebraica domina a narrativa judaica, com pouquíssimas exceções históricas.

Como o historiador judeu da religião Daniel Boyarin explica, o cristianismo geralmente considera o ser humano *uma alma encarnada*, dotada de corpo, enquanto o judaísmo considera o ser humano *um corpo anímico*, dotado de alma.[2] Quando ensino esse conceito, escrevo essas duas definições de humanidade no quadro branco e peço que meus alunos as analisem e as contrastem. Embora alguns alunos comentem prematuramente que ambas dizem basicamente a mesma coisa, observamos juntos que cada definição é formada de uma combinação de um substantivo e um adjetivo.

De acordo com a perspectiva cristã clássica, somos, primeiramente, uma alma que habita em um corpo. Até mesmo a expressão *alma encarnada* traz à mente a imagem de uma alma confinada a um corpo, presa a ele, como se fosse melhor se estivesse livre e desencarnada. Essa expressão deixa implícito, no mínimo, que uma alma desencarnada é *possível*.[3]

De acordo com a perspectiva judaica, somos, primeiramente, um corpo. Por certo, o corpo tem uma alma, o que indica que também pode existir um corpo sem alma (talvez como dos animais?). De qualquer modo, se somos um corpo dotado de alma, ter um corpo é, fundamentalmente, o que significa ser humano.

Percebe a diferença? Quando pensamos no que significa ser humano, a forma como entendemos a constituição da humanidade é de extrema importância. Se pensamos no corpo como uma parte acidental e infeliz de nossa humanidade, nós o abordamos com uma disposição específica. De modo semelhante, quando cremos que o corpo é parte constitutiva de nosso ser, agimos de determinada forma em relação a ele.

ᘐ•ᘐ•ᘐ

Na faculdade, comecei a investigar seriamente as asserções do cristianismo e a interagir com a comunidade cristã no contexto de uma igreja Vineyard, em San Luis Obispo, Califórnia. Conta-se uma história sobre John Wimber, fundador do movimento Vineyard, que norteou significativamente a identidade daquela congregação específica.

De acordo com a história, John Wimber se tornou cristão ao ler os Evangelhos e, então, abordou o pastor da igreja que ele estava frequentando.

— Quando é que a gente vai fazer *as coisas*? — ele perguntou.

— Que coisas? — o pastor quis saber.

— Tipo, as coisas que Jesus faz nos Evangelhos. Curar os enfermos, expulsar demônios, ressuscitar mortos.

O pastor olhou para ele um tanto sem graça e respondeu:

— Na verdade, a gente não *faz* essas coisas. A gente só acredita que Jesus as fez.

Depois de ouvir essa resposta, Wimber saiu de igreja que estava frequentando e fundou o ministério Vineyard para "fazer as coisas". Esse é o contexto em que me tornei seguidora do Messias, e portanto minha fé foi influenciada não apenas por "fazer as coisas", mas pela visão necessariamente encarnada da vida humana e pelo desenvolvimento que esse modelo de ministério traz consigo. Na igreja em que tive meu primeiro contato com o cristianismo, não havia separação real entre vida espiritual e vida física; as duas eram consideradas inteiramente entrelaçadas e mutuamente norteadoras.

Como aconteceu com minha experiência na Igreja Episcopal de São João, em New Haven, é só ao olhar para trás que vejo o quanto esse impulso específico é judaico. O judaísmo é uma religião praticada sempre por meio do envolvimento do corpo; tentar escapar da realidade física nos levaria a perder a riqueza da fé e de sua prática. E, portanto, o fato de eu ter me tornado seguidora de Jesus em uma igreja Vineyard faz todo sentido; foi mais uma forma de Deus permitir que minha identidade judaica encontrasse expressão em minha nova fé em Cristo.

Nas férias antes do último ano de faculdade, li o livro de Dallas Willard *O espírito das disciplinas: Entendendo como Deus transforma vidas* com um grupo de cristãos bastante envolvidos com essa igreja Vineyard local. O papel do corpo na vida espiritual é o ponto de partida do texto de Willard, e esse livro foi uma das influências mais importantes em minha jornada espiritual desde então.

Willard condena a igreja contemporânea por sua relativa insignificância e destaca esse dualismo profundamente arraigado como a causa. Escreve: "A única maneira de a salvação produzir efeito sobre nossa vida é ao produzir efeito sobre nosso corpo. A única maneira de participarmos do reino de Deus é por meio de nossas ações. E nossas ações são físicas: vivemos somente nos processos de nosso corpo. *Não envolver nosso corpo na religião é excluir a religião de nossa vida*".[4]

৻৶·৻৶·৻৶

Como vimos no Havdalah, o judaísmo tem muito a nos ensinar sobre a encarnação e o que significa envolver nosso corpo na adoração e no discipulado. Aliás, o judaísmo tem muito a nos ensinar sobre como ler o Novo Testamento. Vejamos, por exemplo, o Pai Nosso. Para alguns, as palavras são tão conhecidas que conseguimos contornar facilmente o processo de entrar em seu significado e meditar a seu respeito: "Venha o teu reino. Seja feita a tua vontade, assim na terra como no céu" (Mt 6.10).

Percebeu? Não diz: "Arrebata-nos ao céu, para que possamos estar no lugar em que tua vontade é feita". A imagem é de movimento descendente do reino de Deus, de sua presença e realidade irrompendo *neste mundo*, e não de nossa transcendência deste mundo material e físico. O reino de Deus está vindo neste mundo, e somos comissionados para ser embaixadores desse reino aqui e agora, neste corpo. Não é dualismo platônico.

Por vezes, pergunto-me se judeus entendem a ideia do reino vindouro de Deus melhor do que muitos cristãos. O judaísmo não é uma religião que dedica muito tempo a refletir sobre a vida depois da morte, nem sobre o que acontecerá quando morrermos. É uma religião vivenciada aqui e agora, no mundo e no corpo. Aliás, essa é a essência da Torá; ela fornece instruções concretas para uma vida santa, e essas instruções são *bastante físicas*. Tratam de coisas como fluxos genitais e doenças de pele, aquilo que comemos e que vestimos. Ensinam a ordenar a vida, o que implica, necessariamente, o que fazemos com o corpo.

De maneira profunda, para os judeus a Torá oferece um paralelo extraordinário com as disciplinas espirituais da vida cristã como Willard as descreve. Tanto as disciplinas quanto a Torá ensinam a viver no mundo, a nos voltar para o reino e a viver fielmente em meio à presente realidade. Lembram-nos de que a espiritualidade não é, primeiramente, o que acontece quando morremos; antes, diz respeito a como vivemos.

Temos aqui uma ligação fundamental com aquilo que discutimos no capítulo anterior. Um evangelho "da terra" tem tudo o que ver com um reino "do corpo". Deus formou Adão, o primeiro ser humano, da terra (em hebraico, *adamah*), fato que revela para nós essa ligação desde o início. Caso imaginemos que essa é uma daquelas coisas obsoletas do Antigo Testamento, a encarnação de Deus em Jesus talvez seja a ilustração mais marcante do interesse contínuo de Deus por este mundo físico, material.

Deus mergulha na ordem criada, o que nos revela muita coisa a respeito de nossa vocação como seguidores de Cristo. Tendo em conta a centralidade da encarnação na narrativa cristã, é muito curioso que, tantas vezes, nosso objetivo se torne, basicamente, *excarnação*, ou seja, livrar-nos do corpo. Estranho, não?

Ao observar com mais atenção, vemos que os temas relacionados de terra e corpo são *uma linha contínua em toda a história da Bíblia*. Encontramos essa linha na narrativa da criação em Gênesis e na ligação do povo de Israel com a terra de Israel, e ela está presente de modo intenso na encarnação de Jesus. E a percebemos nos vislumbres do destino para o qual tudo isso está se encaminhando. Nos retratos bíblicos do fim dos tempos, deparamos com um *jardim* no meio de uma *cidade* (ver, p. ex., Ap 22.1-5 e Is 11.6-16).

A Bíblia não mostra um futuro com espíritos desencarnados flutuando em um espaço etéreo chamado céu; aponta para a *nova criação*, uma versão redimida e restaurada do mundo material em que toda lágrima será enxugada de todo olho e em que não haverá morte, nem tristeza, nem choro, nem dor (Ap 21.4).[5]

Afinal, como Paulo lembra em 1Coríntios 15, a fé cristã como um todo depende da ressurreição física de Jesus. Mesmo depois de Jesus ter ressuscitado dos mortos, ele ainda tinha corpo. Parece que a Bíblia considera o corpo importante, não é mesmo? Como Willard deixa claro, o desafio da encarnação (e os meios que costumamos usar para evitá-la) é uma questão premente, ainda que muitas vezes não reconhecida, para a igreja cristã.

∽•∽•∽

Embora tudo isso deva servir de lembrança da grandiosidade da existência encarnada, uma recordação que nos dá força e nos desperta a curiosidade, também é, em certos aspectos, algo excruciante. Lembro-me de uma conversa por telefone que tive com Samantha, uma de minhas alunas, que estava refletindo sobre esses conceitos que apresentei no curso de teologia cristã. "Se tudo isso é verdade", ela disse lentamente, "então morte e doença são muito piores do que eu imaginava."

Ela explicou que tinha sido criada em uma cultura cristã em que funerais eram praticamente celebrações, pois o falecido estava, felizmente, "em um lugar melhor". Para ela, esse tipo de espiritualidade havia removido a dor mais lancinante da morte e, com isso, impedido o processo de pesar e luto que a morte provoca.

A experiência de Samantha com dificuldades físicas era semelhante. Vários anos antes, ela havia recebido o diagnóstico de câncer e se sentido amparada e, ao mesmo tempo, perplexa com a reação de sua comunidade cristã. Todos lhe falaram da natureza temporária de seu corpo e de como, um dia, ela seria liberta dele. A intenção das pessoas era lhe dar ânimo, mas, no fim, essa abordagem a deixou alienada. Portanto, quando ela deparou com essas ideias em minhas aulas, as implicações se mostraram carregadas de incerteza.

Nós duas tivemos uma conversa densa e profunda sobre os Evangelhos e sobre como Jesus não levita no ar, a um metro do chão. Não permanece distante das lutas da vida real (e do corpo real) daqueles que estão ao seu redor. Não incentiva os sofredores a aguentar as pontas até que a morte os conduza à glória, e não se alegra quando alguém morre.

A cura e a restauração física são esteios do reino que Jesus traz. Ele teve compaixão da mulher com hemorragia e a curou. Em João 11, Jesus *chorou*, embora estivesse prestes a ressuscitar Lázaro. Ele chorou junto com Maria e Marta em sua angústia. Reconheceu que, mesmo diante do Deus encarnado, a morte é o inimigo. A morte é a lembrança de que ainda vivemos em um mundo decaído. Minimizar a morte ou o luto que a acompanha é banalizar não apenas a condição humana, mas o próprio testemunho bíblico.

Mais uma vez, o judaísmo tem muito a nos ensinar a esse respeito. Na prática judaica, o luto é um ritual formal. Depois do sepultamento de um membro da família mais próximo, os enlutados entram em um período de sete dias chamado *shiva*. Como é típico do judaísmo, há uma longa lista do que pode e do que não pode ser feito nesse período. Os familiares rasgam as roupas (uma prática observada ao longo de toda a Bíblia), em geral não saem de casa, e sentam-se no chão ou em uma banqueta baixa. O *shiva* é seguido de um tempo de luto menos intensivo de trinta dias, e durante o ano todo depois da morte do ente querido os familiares permanecem em estado de luto.

Faz parte do luto no judaísmo recitar uma oração judaica tradicional chamada Kaddish do Enlutado. A fim de que não imaginemos que os judeus são arrastados para as profundezas do desespero porque reconhecem a morte como o inimigo, o Kaddish do Enlutado é simples e objetivamente uma declaração de que Deus é grandioso e digno de louvor, um pedido para que venha o reino de Deus e traga consigo grande e duradoura paz. A dor lancinante e bastante real da morte permanece lado a lado com o reconhecimento objetivo da soberania e da bondade de Deus. O judaísmo como um todo tem mais facilidade de acolher as fortes tensões que a teologia cristã procura tão fervorosamente resolver.

KADDISH DO ENLUTADO

Glorificado e santificado seja o grande nome de Deus por todo o mundo
criado por ele conforme sua vontade.
Que ele estabeleça seu reino durante a vida de vocês
e durante os seus dias,
e durante a existência de toda a Casa de Israel,
rapidamente e em breve;
e digam: Amém.

> Que seu grande nome seja bendito para sempre e por toda a eternidade.
> Bendito e louvado, glorificado e exaltado, celebrado e honrado,
> adorado e enaltecido seja o nome do Santo, bendito seja ele,
> além de todas as bênçãos e hinos, louvores e consolações
> pronunciados no mundo; e digam: Amém.
> Que haja paz copiosa do céu e vida para nós
> e para todo o Israel; e digam: Amém.
> Aquele que cria a paz em suas alturas celestiais,
> que ele crie a paz para nós e para todo o Israel;
> e digam: Amém.

Convém observar que é necessário haver um *minyan* para que o Kaddish do Enlutado seja recitado. O judaísmo tem consciência de que o luto é um processo complexo e que precisa ocorrer no meio da comunidade. Cabe à comunidade se reunir em torno dos que sofreram a perda, pois é a presença da comunidade que permite ao enlutado reconhecer e declarar a presença de Deus no meio da dor e da perda.

Sem o reconhecimento da seriedade da morte, não temos como dar o devido valor à vitória que Cristo obteve ao conquistar a morte. Em resumo, não temos como compreender plenamente o evangelho. O evangelho de Jesus não é mero livramento do inferno, nem é a garantia de que, um dia, vamos flutuar de um lado para o outro em um lugar distante chamado céu.

O evangelho de Jesus diz respeito ao reino de Deus e a seu poder e presença em nosso meio. Diz respeito ao "não" categórico e definitivo de Deus para todas as forças que operam contra a vida e o desenvolvimento humanos. Para nós, diz respeito a viver no reino, moldar nossa vida em torno dele e mostrá-lo para outros. Em resumo, diz respeito à expansão da santidade que Jesus encarnou.

A fim de que a vida cristã seja essas coisas, ela não pode pairar acima do mundo material, segurando as pontas até que cheguemos a um lugar melhor. Em contrapartida, a vida que vivemos agora não é mera questão de polir a prataria do Titanic. O que se encontra no final não é a alma desencarnada no céu, mas vida encarnada na *nova criação*. O propósito de Deus é fazer novas todas as coisas, e não detonar com este mundo e levar almas fantasmagóricas para o céu. "Venha o teu reino, seja feita a tua vontade, assim na terra como no céu." Essa foi a oração que Jesus ensinou a seus discípulos, e esse é o trabalho que o discipulado acarreta.

Ser embaixadores *desse* reino significa que nos importamos com o corpo e com as forças da morte que se opõem a ele. Significa que nos envolvemos com as dificuldades da vida real que nos bombardeiam, questões como desigualdade racial, corrupção política, pessoas ao redor que choram suas perdas e a vida daqueles que ainda não nasceram. Se Deus está operando para redimir este mundo, temos de expandir nossa perspectiva de quem está "servindo no reino" e do que isso quer dizer.

Embora talvez não sejamos capazes de consertar todas as imperfeições que nos cercam, essa realidade não pode ser usada como desculpa para deixarmos de trabalhar em prol da redenção de nosso cantinho do mundo e de nossos círculos de influência. Nas palavras do rabino Tarfon, que viveu uma geração depois de Jesus: "Não temos o dever de completar o trabalho, mas também não temos liberdade de negligenciá-lo".[6] A clássica "história da estrela do mar" é uma excelente ilustração dessa ideia. De acordo com essa história, um homem idoso caminhava pela praia ao amanhecer e viu uma menina pegando as estrelas do mar que haviam sido arrastadas para a praia e jogando-as de volta na água, uma a uma. O idoso foi até a menina e lhe perguntou por que ela estava colocando as estrelas de volta no mar. Ela respondeu que as estrelas morreriam se ficassem expostas ao sol da manhã. "Mas a praia tem vários quilômetros, e há milhares de estrelas do mar. Você não vai conseguir salvar todas elas. Que diferença fará seu esforço?" A menina olhou para a estrela em sua mão e a lançou para a segurança das ondas. "Para esta aqui, fará diferença."[7]

7
Pecado e queda

> Vivo, portanto, com o conflito. Vivo com ele todos os dias, de milhares de maneiras que me puxam em uma ou outra direção. Percebi que o conflito é sinal de saúde para mim, não de confusão; a tensão é uma medida da riqueza de minha vida, e não de seu caos.
>
> BLU GREENBERG

A luminosidade do céu desaparecia lentamente no anoitecer em Helsinki. O caminho estreito cortava a floresta junto ao centro de eventos, árvores altas lançando sombras esguias sobre o restante da vegetação ao nosso redor. Eu caminhava com Richard Harvey, outro estudioso judeu messiânico, que eu havia conhecido em um congresso alguns meses antes, e estava muito feliz de ter a oportunidade de passar mais tempo com ele.

Enquanto caminhávamos, ele me incentivava a prosseguir com minha dissertação. Eu estava empacada havia meses, perdida no meio das pesquisas e de sua ligação próxima demais com minha identidade multifacetada. A falta de progresso no trabalho me deixava constrangida, e era bom ver que Richard entendia a complexidade da situação.

"Você está fazendo um trabalho importante, Jen. Não apenas para si mesma, mas para todos nós", Richard exortou. E, no fim das contas, essa conversa foi uma espécie de ponto de mudança, como foi meu tempo em Helsinki de modo geral.

Era verão de 2010, e eu tinha sido convidada para o encontro inaugural da Assembleia de Helsinki para a Interligação Judaica no Corpo do Messias, uma reunião internacional de seguidores judeus de Jesus de toda a gama de igrejas. Havia três padres católicos, quatro cristãos ortodoxos, um luterano e cinco judeus messiânicos. Vínhamos de oito países, todos à procura de uma integração de nossa identidade judaica e de nossa fé em Cristo nas diferentes comunidades e contextos em que tínhamos ido parar.

Ao longo dos dez anos seguintes, esse grupo se tornou um dos pontos de apoio de minha vida espiritual. Reuníamo-nos em uma cidade europeia diferente a cada verão, e era um evento que eu aguardava com ansiedade o ano todo. Existia um vínculo singular e indescritível entre nós, evidenciado quando compartilhávamos uma série de elementos fundamentais em comum que sustentam nossa vida e nossas comunidades e teologias bastante diferentes. Sentíamo-nos ligados uns aos outros, apesar de grandes distâncias geográficas e das radicais divergências em nossa vida litúrgica. A cada ano, realizávamos um encontro que tratava de determinado tema e, a cada ano, redigíamos uma declaração sobre nosso tempo juntos e o acordo ao qual havíamos nos esforçado para chegar.[1]

E, no entanto, persistia em nosso meio uma forte sensação de diferença que revelava continuamente a fragilidade de nossa comunhão. Por ironia, dois dos católicos (um padre dominicano e um padre jesuíta) discutiam entre si acaloradamente sobre tudo, o que se tornou uma piada no grupo. "Lá vão os dois de novo", dizíamos entre risos.

Mas nem tudo era piada. O padre jesuíta, frei David, muitas vezes tinha a impressão de que era um entrave para o grupo e de que seria melhor para nós se ele não participasse. Em certos momentos, nossas perspectivas eram tão diferentes que os pontos de união se tornavam indistintos e até aparentemente obscurecidos.

Para mim, a diversidade do grupo é exatamente o que sempre constituiu sua riqueza. É justamente a diferença entre nossas perspectivas, todas buscando, a seu modo, entender as mesmas verdades e realidades, que torna nosso grupo tão dinâmico e tão unido. A cada ano, realizávamos o encontro durante o dia e, então, continuávamos a discussão (com frequência, acalorada) até altas horas da noite. E, a cada ano, miraculosamente, sentíamos nosso vínculo coletivo se aprofundar ainda mais.

O dinamismo em meio ao esforço que experimentei nesse grupo foi parte considerável daquilo que me impeliu a terminar minha dissertação, que focalizou acontecimentos importantes dos séculos 20 e 21 nas relações entre judeus e cristãos e a natureza mutável da relação entre as duas tradições religiosas.[2] Observei e experimentei de modo crescente que, em vez de a diversidade e a diferença constituírem forças divisoras, podem criar uma nova percepção de coesão e coerência.

༄ • ༄ • ༄

Ocorrida a separação, judaísmo e cristianismo se desenvolveram em direções divergentes, e podemos ter acesso às diferenças profundas entre as duas tradições religiosas por diversos portais e observá-las por diversas perspectivas. Enquanto eu trabalhava em minha dissertação, uma divergência específica se tornou o foco central, tanto em minha pesquisa quanto em minhas lutas teológicas. Em meio às sérias lacunas entre judaísmo e cristianismo se encontra um entendimento diferente do pecado humano e daquilo que se chama queda. Essa é uma das divisões doutrinárias com as quais tive maior dificuldade no processo de encontrar uma forma de avançar em meu trabalho como professora e escritora.³

De acordo com o paradigma cristão reformado clássico, o drama da graça divina (ainda em andamento) apresentado pelas Escrituras tem basicamente quatro atos. Em primeiro lugar, a *criação*, que, de acordo com a tradição cristã, em geral é vista em um estado de perfeição.

Em pouco tempo, contudo, vem a *queda*, o ponto em que a humanidade se afasta de Deus e o projeto da criação sai dos eixos. O pecado entra no mundo, e toda a ordem criada é maculada e corrompida. Muitos cristãos leem o Antigo Testamento como se fosse um extenso comentário sobre a queda; a "lei" foi uma tentativa de refrear a pecaminosidade humana, uma tentativa que falhou, pois focalizava apenas os elementos exteriores, sem tratar da rebeldia humana em suas mais profundas formas.

O capítulo seguinte da história, a *redenção*, começa quando Cristo entra nas trevas da criação decaída e resgata a humanidade de sua vil condição de desespero e impotência. Por fim, o drama todo aponta para a *nova criação*, da qual temos vislumbres em algumas passagens proféticas e em Apocalipse.

Esse paradigma lhe parece conhecido? Você já o ouviu ser descrito em sermões? Talvez você tenha acenado afirmativamente com a cabeça ao ler sobre esses quatro atos. É possível que eles expressem um conceito que você ouviu ao longo dos anos. Até mesmo fora de círculos reformados, essa narrativa repisada definiu os contornos de como os cristãos têm lido a Bíblia e pregado o evangelho há séculos.

Em meus estudos de doutorado, porém, ao tratar da vocação ainda em vigor do povo de Israel, tornou-se cada vez mais evidente que o modelo cristão clássico não tem espaço para essa ideia. Apesar de Israel ser, claramente, o tema de nosso Antigo Testamento (dois terços da Bíblia cristã!), ele é deixado inteiramente de fora da história ou é entendido como extenso exemplo de pecaminosidade e ineficácia humanas. Será que essa era, verdadeiramente, toda a extensão do propósito de Israel no plano de Deus? O papel de Israel chegou de fato ao fim com a vinda de Jesus, o Redentor?

Comecei a me aprofundar na narrativa predominante que fundamenta a interpretação bíblica judaica e o entendimento próprio do judaísmo e fiquei surpresa de descobrir como é diferente da estrutura da narrativa cristã. Embora o judaísmo tenha uma doutrina da criação parecida, de modo geral, com a doutrina do cristianismo, a verdadeira divergência começa em Gênesis 3.

As duas tradições asseveram a bondade inerente da criação, a formação da humanidade à imagem de Deus e a aliança entre Deus e a humanidade que criou uma espécie de empreitada conjunta. Para ambas as tradições, a narrativa da criação em Gênesis combate o dualismo, pois o mundo físico, material, é considerado, repetidas vezes, bom, exatamente no tocante a sua substância e materialidade. Em última análise, porém, o firme apoio cristão ao caráter físico é breve.

Enquanto a tradição cristã se mostra propensa a atribuir uma espécie de perfeição à criação, a tradição judaica a considera *boa*, mas ainda não *santa*. A santidade é instituída com o sábado em Gênesis 2 e encontra expressão mais plena em Êxodo, por meio do povo de Israel e da vida em comunidade. No fim das contas, essa é uma diferença de grande importância.

Durante parte considerável da história cristã (cristalizada por Agostinho no quarto século), Gênesis 3 foi o ponto de mudança da narrativa. Na queda de Adão, toda a humanidade cai. Abre-se um abismo entre Deus e a humanidade, e a escuridão da queda projeta sua longa sombra para trás, sobre a excelência da criação.

Nas palavras de João Calvino: "Assim como fazia parte da vida espiritual de Adão permanecer unido e atado a seu Criador, a alienação dele foi morte para sua alma. Também não é de admirar que ele tenha condenado sua raça à destruição por sua rebelião ao perverter toda a ordem da natureza no céu e na terra". Em seguida, Calvino explica que, em razão da desobediência de Adão, "a imagem celestial foi apagada dele" e que "ele também enredou e afundou seus descendentes nas mesmas misérias".[4]

Essa é uma descrição cristã clássica da doutrina do "pecado original", que entende o pecado de Adão como uma espécie de enfermidade com a qual seus descendentes nascem de forma indelével. A herança desse estado pecaminoso "não depende de imitação",[5] mas é transmitida de uma geração para a outra, subverte a pessoa inteira e corrompe toda a criação. Aqui se encontra a doutrina cristã (reformada) de "depravação total". É importante observar que, no pensamento de Calvino e de outros, essa doutrina tão forte e potente de pecado original tem como maior consequência engrandecer a obra de Cristo e seus efeitos.

A maioria dos cristãos se surpreende ao descobrir que os judeus entendem Gênesis 3 de forma completamente diferente. De acordo com uma interpretação judaica do texto, o pecado de Adão não predetermina as decisões de seus descendentes. Na visão do judaísmo, a humanidade é dotada de uma *yetzer hara* (inclinação má) e de uma *yetzer hatov* (inclinação boa) presentes dentro de cada um de nós. A expressão "inclinação má" pode até ser um tanto enganosa; de acordo com o conceito judaico geral, a *yetzer hara* não é, em si mesma, maligna. Antes, é a parte do ser humano que o atrai para baixo, em direção à preocupação com os aspectos mais banais da vida. De acordo com um *midrash* judaico, sem a *yetzer hara*, a pessoa não construiria um lugar para morar, não se casaria, não teria filhos, etc.[6]

Dito isso, a *yetzer hara* também é aquilo que pode nos levar a cometer atos pecaminosos, e com frequência o faz. Como elemento da humanidade que nos atrai para baixo, ela tenta os seres humanos a buscar gratificação e a promover o ego. É exatamente esse o problema que a escolha de Adão revela tão claramente. No entanto, de acordo com o pensamento judaico clássico, *a obediência humana é possível*, ao contrário do que declara Calvino.

Uma importante janela para essa estrutura judaica é Deuteronômio 30, uma das passagens de "bênçãos e maldições" em que Deus promete a Israel vida e prosperidade se o povo lhe obedecer e andar em seus caminhos, e destruição e exílio se o povo se afastar dele e prestar culto a ídolos. Antes que concluamos que se trata de um devaneio impossível, Deuteronômio 30.11 garante aos israelitas: "Este mandamento que hoje lhes dou não é difícil demais para vocês, nem está fora de seu alcance". O elemento de verdadeiro livre-arbítrio humano permanece vivo e ativo na tradição judaica, mesmo depois da chamada queda de Adão.

∽·∽·∽

Desde o primeiro encontro, o grupo de Helsinki desenvolveu a visão conjunta de promover uma comunidade global de discípulos judeus de Jesus de todo o universo de igrejas e sinagogas. A cada encontro, sonhávamos (e discutíamos!) com a forma que essa ideia tomaria. Então, em 2018, essa visão deu o primeiro passo para se concretizar.

Convidamos um grupo de cinquenta judeus crentes em Jesus para participar conosco do encontro em Dallas, Texas, no *campus* da King's University e da Igreja do Portal, a fim de trabalhar conosco nesse sonho havia tanto acalentado. Esse grupo maior experimentou, de forma extraordinária, o mesmo vínculo profundo em meio a grandes diferenças que nosso grupo menor havia experimentado em Helsinki e aprofundado desde então.

A expressão "solidão existencial" se tornou uma espécie de *hashtag* para nosso tempo em Dallas; todos nós nos sentíamos isolados e sozinhos de diferentes maneiras, e encontrar uns aos outros foi como encontrar uma fonte no deserto. Oferecemos uns aos outros um novo grupo de afinidades, pois todos nós, em nossos diferentes contextos, enfrentamos muitas das mesmas lutas.

Depois do encontro em Dallas, foi formada a organização Yachad BeYeshua, "Juntos em Jesus".[7] Sua existência traz à baila a pergunta: Será que Deus está trabalhando de maneira específica dentro do segmento judaico do corpo de Cristo? A esperança dessa organização é levantar mais um estandarte para mostrar que a identidade judaica permanece, mesmo dentro desse corpo.

Como sempre foi o caso no grupo de Helsinki, o caráter dinâmico e curioso da organização Yachad BeYeshua se baseia na profundidade de nossas diferenças e, mesmo assim, nos elementos comuns de nossa identidade fundamental. Embora todos nós estejamos tentando harmonizar as duas partes centrais de nossa vida religiosa, isto é, a identidade judaica e a fé no Messias, alguns consideram que a maneira mais autêntica de fazê-lo é por meio do movimento judaico messiânico. Outros encontraram seu lar espiritual na Igreja Católica ou na Igreja Ortodoxa, enquanto outros, ainda, residem espiritualmente em igrejas protestantes históricas ou não denominacionais.

E, no entanto, para cada um de nós, nossa identidade judaica *ainda significa alguma coisa*. Não é apagada pelas águas do batismo. Para o teólogo cristão Kendall Soulen, a capacidade da igreja de reconhecer a importância contínua da identidade judaica, especialmente dentro da igreja, é o teste decisivo de sua capacidade de superar a teologia da substituição (de acordo com a qual, de um modo ou de outro, a igreja substitui Israel como povo de Deus). Se o povo de Israel é, no fim das contas, mais que um extenso exemplo de pecaminosidade humana apresentado em todo o Antigo Testamento, a questão da identidade judaica dentro da igreja suscita uma pergunta incisiva e premente.

O que exatamente a identidade judaica significa? Ela continua a ser relevante para seus portadores? Esse é um tema de discussões animadas desde o início do grupo de Helsinki e que prosseguem na organização Yachad BeYeshua. A gama de perspectivas dentro de nosso grupo é refletida de forma comovente na vida de um seguidor judeu de Jesus anterior ao surgimento do grupo de Helsinki, mas que continua a exercer influência. Aaron Jean-Marie Lustiger, o "cardeal judeu", nasceu em 1926 em Paris, em uma família de judeus poloneses. Tornou-se católico e atuou como arcebispo de Paris e cardeal da igreja católica.

Embora Lustiger não seja, de maneira nenhuma, o primeiro judeu a ingressar na igreja cristã, sua proeminência e sua recusa em abrir mão da identidade judaica conferem importância a sua história. Em suas palavras: "Ao me tornar cristão, não tinha a intenção de deixar de ser o judeu que eu era. Não estava fugindo da condição de judeu. Eu a adquiri de meus pais e jamais a perderei. Eu a recebi de Deus e ele jamais deixará que eu a perca".[8]

O teólogo ortodoxo judeu Michael Wyschogrod escreveu para o cardeal Lustiger uma carta em que tratou de vários assuntos importantes. Wyschogrod questiona Lustiger acerca do que significa assumir a identidade judaica, e o que está em jogo é como Lustiger se apropria dessa identidade dentro da Igreja Católica.[9] Nessa carta Wyschogrod explica: "Ser judeu significa trabalhar sob o jugo dos mandamentos. [...] Uma vez que alguém se coloca debaixo do jugo dos mandamentos, não há como escapar dele. Portanto, da perspectiva judaica, o batismo não torna o consumo de carne de porco um ato neutro. Aliás, nada que um judeu faz lhe permite escapar do jugo dos mandamentos".[10]

Para Wyschogrod, a identidade judaica de Lustiger lhe impõe uma exigência, como o faz a identidade de todo judeu em virtude da aliança de Deus com o povo judeu. Wyschogrod destaca essa realidade para Lustiger, cuja recusa em repudiar sua identidade judaica era uma oportunidade para refutar publicamente a ideia de que se tornar cristão significava deixar de ser judeu.

"Ao longo dos séculos", Wyschogrod escreveu para Lustiger, "judeus que entraram na igreja perderam rapidamente sua identidade judaica. Passadas várias gerações, casaram-se com gentios, e as características judaicas desapareceram. [...] Em resumo, se todos os judeus de eras passadas tivessem seguido o conselho da igreja para que se tornassem cristãos, não haveria mais judeus no mundo hoje."

À luz dessa realidade histórica, Wyschogrod faz um questionamento fundamental: "A igreja quer, verdadeiramente, um mundo sem judeus? A igreja acredita que esse mundo está em conformidade com a vontade de Deus? Ou a igreja acredita que é da vontade de Deus, mesmo depois da vinda de Jesus, que haja judeus no mundo?".[11]

Essas perguntas importantes ocupam o cerne de Yachad BeYeshua como organização e só agora estão entrando na tela do radar da igreja cristã mais ampla.

༺ ༻

Uma linha mais mística do judaísmo preserva o relato de uma catástrofe cósmica; ela é o equivalente mais próximo no judaísmo de uma doutrina da queda. Seus contornos, porém, são bem diferentes da doutrina cristã clássica do pecado.

Na teologia cristã clássica, a tensão central que impele a narrativa depois da "queda" é o pecado humano e a necessidade de salvação. Enquanto esse paradigma de *pecado-salvação* caracteriza a interpretação cristã da Bíblia, a narrativa central do judaísmo focaliza o movimento da criação de sua condição *boa* para sua condição *santa*. Em vez de a força motriz ser a terrível situação de desespero da humanidade, a narrativa é impelida pela vocação de Israel como intendente e como lugar da santidade de Deus. Dentro desse paradigma de *criação--consumação*, o alvo é que todas as criaturas sejam revestidas do conhecimento do Deus de Israel e se voltem para ele.

Um desdobramento fascinante surge dentro da linha cabalística ou mística do pensamento judaico, e sua explicação é relevante aqui. Embora o misticismo judaico remonte ao período do segundo templo, o que nos interessa aqui é o surgimento da Cabala Luriana no século 16.

Primeiro, o contexto. Como vimos, a história entre judaísmo e cristianismo depois da separação é cheia de tensões. A situação de modo geral se torna ainda mais complexa e explosiva quando entra em cena o islamismo no século 7. No entanto, em meio às tensões religiosas que continuam extremamente evidentes até mesmo em nossos dias, a história ofereceu uma trégua notável (ainda que temporária) em uma era específica e em um lugar específico.

As datas precisas são controversas, mas não há dúvida que essa "era dourada" no sul da Espanha foi caracterizada pela coexistência pacífica e pela influência mútua de judeus, gentios e muçulmanos.[12] Quem visita a região hoje em dia tem um vislumbre impressionante da profundidade e complexidade da influência recíproca em ação durante essa era incrível.

Embora a coexistência frágil enfrentasse ameaças contínuas, ela desmoronou inteiramente com a expulsão dos judeus da Espanha em 1492 pelos reis católicos Ferdinando II e Isabella I. O trauma desse acontecimento foi intenso para os judeus, pois a "era dourada" havia proporcionado um nível de desenvolvimento cultural que mal parecia possível na realidade perene de exílio da terra de Israel.

Depois da expulsão, alguns judeus da Espanha chegaram a Tzfat, no norte de Israel, que logo se transformou no centro geográfico do misticismo judaico. Um desses judeus foi Isaac Luria. Influenciado pelo cristianismo e pela desintegração de uma era espantosa, Luria ofereceu uma explicação para a catástrofe cósmica que talvez seja o conceito judaico mais próximo da doutrina da queda.

Embora os elementos que constituem sua proposta sejam complexos, o primeiro movimento básico (lembre-se de que se trata de misticismo e, portanto, não se fundamenta em razão ou lógica) é *tzimtzum*, a ideia que de que Deus precisa se contrair a fim de abrir espaço para a criação. Em seguida, Deus infunde sua presença de volta na criação na forma de vasos de essência divina, mas a presença de Deus é poderosa demais para os vasos que a contêm, e eles se despedaçam.

Esse é o segundo movimento, *shevirat ha-kelim* (a quebra dos vasos), e, como resultado, fragmentos da presença divina são dispersados e escondidos em todo o mundo criado. Passa a ser vocação da humanidade (e, especialmente, do povo judeu) reunir e descobrir esses fragmentos escondidos de luz e presença divinas. Esse é o terceiro movimento, *tikkum olam*, o conceito de consertar o mundo quebrado, conceito esse com uma longa e rica história dentro da tradição judaica.

É místico, forçado e filosófico. Eu sei. Mas é fascinante analisar de quem é a culpa e a quem cabe resolver o problema. Na narrativa cristã clássica, as respostas para essas perguntas são bastante claras. A culpa é da humanidade (em virtude do pecado de Adão e do fato de sermos seus descendentes) e cabe a Deus (por meio de Cristo) resolver o problema. Na Cabala Luriana (que, como observei, oferece o conceito judaico mais próximo da narrativa da "queda"), culpa e incumbência são mais difíceis de distribuir.

Quando ensino esse conceito para meus alunos cristãos, sempre terminamos com uma discussão animada sobre vários tópicos. "Espera aí. Quer dizer que a catástrofe cósmica é culpa de *Deus*?!", um aluno pergunta, voz ligeiramente erguida, incredulidade evidente. "De jeito nenhum", diz o outro. "Não é culpa de Deus. É algo que simplesmente *acontece*. Não é culpa de ninguém!" O que fica claro é que *não* é culpa da humanidade. A humanidade se vê envolvida no drama místico e, por fim, recebe a incumbência de reconstruir o que se perdeu.

"Quer dizer que os seres humanos são responsáveis pela redenção? Impossível!", ainda outro aluno declara. Depois de analisarmos suficientemente as diferenças entre a narrativa cristã clássica e a narrativa Cabalista Luriana, refletimos sobre uma última pergunta: O que cada narrativa pode aprender com a outra?

Meus alunos sempre identificam que a narrativa judaica leva a sério a ação humana. Considerar os seres humanos irremediavelmente caídos e incapazes de fazer o bem (como propõe Calvino) pode reduzir a vocação que lhes foi dada por Deus no mundo. Alguns de meus alunos acabam por reconhecer que, inconscientemente, haviam considerado o cristianismo uma garantia de vida eterna, enquanto a vida aqui e agora tem pouca importância; é apenas um tempo de espera. No judaísmo, a vocação da humanidade é importante. O movimento da criação da bondade para a santidade depende dessa vocação.

De modo semelhante, meus alunos comentam que a narrativa judaica não leva a sério o suficiente a realidade do mal radical em nosso mundo. O que aflige nossa existência não é apenas o caráter dispersado e escondido da presença de Deus; há, empiricamente, algo mais malévolo que isso. E, portanto, redimir o mal deve ir além da devoção religiosa e de atos de bondade. Precisamos, verdadeiramente, de um Salvador, de alguém que redirecione toda a trajetória de uma forma que a humanidade não é capaz de fazer por própria conta.

Em última análise, a justaposição da narrativa cristã clássica e da narrativa da Cabala Luriana lança nova luz sobre a encarnação. Em Jesus, Deus habita a criação como participante dentro dela. A encarnação é o ato divino mais escandaloso de envolvimento com a criação, a revelação própria e plena de Deus e o meio pelo qual a humanidade pode participar do trabalho de restauração do mundo. Em Jesus, o Deus-homem, vemos tanto a plenitude da redenção divina quanto a seriedade da vocação humana.

Na encarnação, Deus toma a iniciativa em favor da humanidade, mas, ao fazê-lo, não ignora a ação humana. Antes, investe-se de nossa humanidade a fim de aperfeiçoar a criação e efetuar renovação e restauração. É exatamente desse modo que Deus convida toda a humanidade a se tornar participante da renovação, unindo cada pequeno ato local de restauração ao ato divino único e cósmico de redenção, como fios entretecidos em uma grande tapeçaria.

O que mais gosto nessas discussões em minhas aulas é de como desafiam meus alunos cristãos a refletir sobre uma narrativa radicalmente diferente daquela que eles conhecem tão bem e, então, reavaliar a narrativa na qual eles se fundamentam à luz da interação com a narrativa de outros. Como escrevi em minha dissertação, esse processo reflete o que tem acontecido entre judeus e cristãos nos anos desde o

Holocausto. Ao sair de nosso território conhecido e explorar território teológico diferente, vemos coisas novas quando voltamos a nossas narrativas estruturadoras.

De modo fundamental, esse tipo de envolvimento substancial, que atravessa a linha divisória entre judaísmo e cristianismo, permite que imaginemos o que poderia ter acontecido se a história tivesse tomado outro rumo. E se não tivesse ocorrido uma separação dramática e definitiva? E se as duas tradições não tivessem passado a se definir de maneiras mutuamente exclusivas?

Essas são as mesmas perguntas que a organização Yachad BeYeshua faz, ainda que de uma perspectiva diferente. Nossas diferenças consideráveis se tornam o catalisador para um novo modo de pensar e para crescimento pessoal, o que nos oferece uma lente extraordinária através da qual podemos abordar as diferenças.

Apegar-me firmemente à identidade judaica ao mesmo tempo que permito que a fé em Jesus encontre expressão plena é um tanto parecido com acolher a tensão entre as diferentes perspectivas de pecado e queda que acabamos de explorar. Parte do desafio consiste em abrir mão da pressuposição extremamente comum de que dificuldade e atrito, tensão e trabalho árduo são sinais de que há algo de errado. Da perspectiva teológica, como seria *nos aprofundar* na tensão, em vez de tentar resolvê-la? O que significaria reconhecer que a narrativa da Bíblia abrange várias linhas que se recusam a ser perfeitamente categorizadas e sistematizadas?

Essa talvez seja mais uma contribuição teológica importante do movimento messiânico judaico, cuja existência intermediária é, por definição, carregada de aparente incoerência. Como Mark Kinzer comentou comigo certa vez: "Sinto que passei a vida inteira tentando juntar peças que não se encaixam entre si". Talvez exatamente as tensões que definem nossa vida constituam, de forma paradoxal, a grande riqueza da experiência humana.

8
Sábado

Deus completou, no sétimo dia, a obra que ele fez,
e descansou, no sétimo dia,
de todo o trabalho que havia feito.

Gênesis 2.2, TLV

— Israel não fica muito longe da Croácia, não é? — perguntou minha amiga Amy enquanto abria um mapa no notebook. Estávamos sentadas no sofá da casa dela, finalizando o itinerário para nossa grande aventura de verão em que comemoraríamos o aniversário de 30 anos de Amy e a conclusão de meu doutorado.

— Hum, acho que não — respondi um tanto insegura a respeito de minha geografia do leste europeu.

— Vamos lá! — nós duas exclamamos ao mesmo tempo.

Três meses depois, passamos duas semanas no esplendoroso litoral da Croácia e nos picos majestosos da Bósnia com nossa amiga Melody, que estava morando na cidade croata de Osijek. Em seguida, peguei um voo para Berlim, onde participei por cinco dias do encontro do grupo de Helsinki, e Amy passou esse tempo visitando a Hungria. Reencontramo-nos em 5 de julho, aniversário de Amy, no aeroporto Ben Gurion, onde aguardamos a chegada de Erin, amiga próxima de Amy.

Pegamos uma *sherut* (táxi coletivo) para a Casa de São Simeão e Santa Ana, no centro de Jerusalém, o mosteiro franciscano em que moravam frei David e sua comunidade e onde ele havia nos convidado a ficar hospedadas. Tomamos banho e caminhamos até Tmol Shilshom, minha pequena livraria/cafeteria favorita em Jerusalém, para comemorar o aniversário de Amy. O dia seguinte era sexta-feira, início de nosso primeiro Shabbat (sábado) em Israel.

Embora eu tivesse me acostumado a celebrar o Shabbat em Los Angeles, é totalmente diferente observar o Shabbat em Israel. Em Los Angeles (aliás, em qualquer outro lugar), eu nadava contra a correnteza da sociedade ao redor e da cultura predominante ao observar o Shabbat. Na noite de sexta, muitos saíam de casa, e bares, restaurantes e cinemas estavam sempre lotados.

Não era raro eu ter a impressão de que estava perdendo alguma coisa ao ficar em casa (como fazia com frequência), na sexta-feira à noite. Era muito melhor estar com uma comunidade judaica ou judaica messiânica no Shabbat, mas, em razão das grandes distâncias dentro da cidade e da natureza difusa de nossa comunidade, para nos reunirmos no Shabbat muitas vezes era necessário enfrentar horas no trânsito.

Essa situação sempre me pareceu frustrante e irônica, pois há pouca coisa *menos* parecida com descanso do que trânsito de fim de semana em Los Angeles. Minhas opções, portanto, consistiam em ficar em casa sozinha e perder o aspecto comunitário, ou encarar o trânsito exaustivo para encontrar amigos e comunidade.

Em Israel (e especialmente em Jerusalém), contudo, o Shabbat é uma experiência inteiramente distinta. Nadamos contra a correnteza quando tentamos *não* observar o Shabbat.

Lojas e restaurantes começam a fechar as portas na tarde de sexta, e é possível, literalmente, caminhar no meio da maioria das ruas durante as próximas 24 horas, pois dirigir no Shabbat é algo raro de fazer ou de ver.

A correria de sexta-feira de manhã é um acontecimento semanal em Israel: padarias de esquina oferecendo em prateleiras externas fileiras de pães *challah* recém-saídos do forno, açougueiros preparando cortes de carne em balcões de madeira e colocando-os em gôndolas de vidro refrigeradas, bancas com frutas e legumes empilhados alto em bacias coloridas.

Se você quer a experiência *completa* de fazer compras em Jerusalém na manhã de sexta-feira, pode ir a Machane Yehuda, onde bancas e mais bancas enfileiradas em vielas oferecem não apenas carne, mas também peixe, frutas e verduras, mas onde você também encontra todos os sabores imagináveis de *halvah*, bem como joias, lenços e nozes torradas, e o melhor peixe frito com batatas que você provará em sua vida. Mas deixo avisado: você precisará despertar o israelense que há em seu interior, pois as vielas estarão abarrotadas de vendedores gritando uns com os outros e atirando uns para os outros produtos dos quais sua cabeça escapará por um triz.

Israelitas nativos são chamados *sabras*, em referência a um tipo de cacto que cresce no interior de Israel. São espinhosos e ásperos por fora, mas tenros e doces por dentro. Tive de me lembrar dessa realidade *muitas* vezes durante estadias em Israel; do contrário, a aparente falta de educação e a rispidez chegam a me fazer chorar. "Eles não estão berrando, Jen. Simplesmente são israelenses", repeti para mim mesma em várias ocasiões. Também é bom aprender rapidamente que o conceito de fila organizada não existe em Israel; empurre até encontrar um lugar à frente, ou você ficará horas esperando.

Amy, Erin e eu passamos o primeiro Shabbat com nossos amigos católicos em Jerusalém na bela casa em que nos hospedaram e tentamos manter uma conversa que mudava de hebraico para polonês e italiano, com um pouco de inglês misturado, só para nos dar uma ajuda. No segundo Shabbat, estávamos na pitoresca cidade de Tiberíades, onde ficamos em uma linda pousada com vista para o mar da Galileia. Quando o sol começou a se pôr, sentamos juntas na sacada acima do jardim com terraços que dava para o lago. Segurando dois pães *challah* trançados, recitei a impetração de bênção judaica tradicional sobre o pão: *Baruch ata Adonai Eloheinu melech ha'olam hamotzi lechem min ha'aretz* (Bendito és, Senhor, nosso Deus, Rei do Universo, que da terra produzes pão).

෴ ෴ ෴

Talvez o livro mais rico sobre o Shabbat seja a obra de Abraham Joshua Heschel, rabino e filósofo judeu do século 20. Poucos livros captam, ao mesmo tempo, a beleza e o ar de mistério da essência do Shabbat como faz o livro de Heschel. A metáfora central é arquitetônica, e Heschel começa declarando abertamente que "a civilização técnica é a conquista do espaço pelo homem". Embora essa conquista seja parte importante da comissão da humanidade em Gênesis 1, a realidade é que "a Bíblia se interessa mais pelo tempo do que pelo espaço".[1]

O Shabbat nos leva de volta ao âmbito do tempo, em que ingressamos, mais uma vez, na principal residência da santidade. Em "um desvio radical do pensamento religioso habitual", a narrativa da criação em Gênesis não confere santidade a nada material. A primeira coisa a ser declarada santa é o sábado, um dia, uma instituição no tempo. Esse ponto central de santidade fundamenta a instituição do povo santo, Israel, e mais adiante, a construção de um local sagrado, o templo. "A santidade do tempo veio antes, a santidade do homem veio depois, e a santidade do espaço veio por último."[2] Pensar no Shabbat à luz dessa realidade revela uma diferença importante em seu entendimento no judaísmo e no cristianismo. Sempre chama a atenção uma expressão que meus amigos cristãos no ministério usam: "A terça é meu sábado" ou "A quinta é meu sábado", com o sentido de que esse é o dia em que se afastam das responsabilidades do ministério, passam tempo com a família, fazem caminhadas, vão ao cinema ou realizam outras atividades de lazer.

A questão é que, no judaísmo, o Shabbat é o Shabbat. Não podemos observá-lo quando bem entendermos, pois ele existe de forma independente e não pode ser alterado para um dia mais conveniente em nossa agenda. Ele acontecerá com ou sem nós. É algo em que entramos, não algo para que encontremos espaço em meio a nossos muitos compromissos. Aliás, no judaísmo, a agenda semanal gira em torno do Shabbat. Ele é comunitário, e os judeus o observam juntos.

Como Heschel descreve, no Shabbat a qualidade do tempo é diferente dos outros dias da semana. Heschel pergunta: "Como devemos avaliar a diferença entre o sábado e os outros dias da semana? Quando chega um dia como quarta-feira, as horas são vazias e, a menos que lhe confiramos significado, permanecem sem distinção. As horas do sétimo dia têm significado inerente; sua relevância e sua beleza não dependem de nenhum trabalho, lucro ou progresso que alcancemos".[3]

O Shabbat é um "palácio no tempo",[4] no qual somos convidados a entrar e habitar uma vez por semana. De acordo com rabinos antigos, os trabalhos dos quais nos abstemos no Shabbat consistem nos atos que foram necessários para construir e mobiliar o tabernáculo. No Shabbat, construímos e mobiliamos um santuário no tempo, e não um santuário no espaço.

No entanto, o descanso ordenado para o Shabbat não é apenas, ou mesmo principalmente, um conceito negativo. O enfoque não recai sobre aquilo de que abrimos mão (trabalho, produtividade, tecnologia, comércio, etc.), mas sobre aquilo que ganhamos. Essa reestruturação é ilustrada por Gênesis 2.2, que nos diz que "Deus completou, no sétimo dia, a obra que ele fez, e descansou, no sétimo dia, de todo o trabalho que havia feito" (TLV). Esse versículo é confuso. Se Deus completou sua obra no sétimo dia, como foi que ele descansou?

De acordo com a tradição judaica, na verdade Deus ainda estava criando no sétimo dia; Deus estava criando o descanso (em hebraico, *menuha*), sem o qual a criação estaria incompleta. O *menuha* se tornaria a placa que sinaliza a eternidade; no judaísmo, o mundo por vir é descrito como "o dia que será inteiramente Shabbat".[5] No Shabbat, temos um vislumbre e um antegosto da eternidade; é como se, durante um dia da semana, entrássemos em outra dimensão do tempo.

༄ ⋅ ༄ ⋅ ༄

No dia depois de nosso Shabbat em Tiberíades, Amy e Erin embarcaram no voo de volta sem mim. Algumas poucas horas antes da partida, tomei a decisão de prolongar minha estadia a fim de ter alguns dias para conhecer melhor um homem chamado Yonah.

Eu tinha sido convidada para dar uma palestra durante o tempo que passamos em Jerusalém, e foi nesse evento que conheci Yonah. Baruch, nosso amigo em comum, me falou dele pouco antes da palestra, e Yonah e eu estávamos em um pequeno grupo que saiu para comer sushi depois do evento. Quando nos despedimos depois do jantar, Yonah pediu meu número de telefone, e eu lhe entreguei, muito sem jeito, meu cartão de visita. "Então... a melhor forma de entrar em contato comigo é pelo celular."

Dois dias depois, ele enviou uma mensagem de texto e, após um mal-entendido por causa de problemas no sinal do celular, saímos para almoçar juntos. Sentamo-nos no gramado macio do Parque da Independência, no centro de Jerusalém, e conversamos sobre nossas famílias e nossos sonhos para o futuro, cercados pelo riso alegre de crianças brincando de pega-pega e rolando pelo leve aclive do gramado.

Esse homem musculoso e quieto, tão diferente de mim, me deixou curiosa. Sua barba escura era mais longa do que a barba bem aparada de meus colegas de trabalho, e me senti atraída de imediato pelas rugas que surgiam nos cantos de seus olhos sempre que ele sorria. Havia nele uma humildade evidente, uma despretensão e uma certeza de quem ele era. Peguei-me pensando em como seria apresentar para meus pais alguém que usava um *kippah* (solidéu) de crochê e *tzitzit* claramente visíveis.

Enquanto conversávamos no parque, contei-lhe que estava à procura de emprego como professora universitária em período integral, de preferência em um cargo com estabilidade. Ele me falou de seu desejo de ser pai, agricultor e cantor de música tradicional. A versão profissional, formal e acadêmica de mim mesma foi sutilmente desarmada por sua honestidade e mansidão. Algumas horas depois, ele caminhou comigo até o mosteiro, e tive certeza de que nunca mais o veria.

Naquela tarde, Erin, Amy e eu alugamos um carro e fomos de Jerusalém para Tiberíades. Senti um misto de leve tristeza e plenitude transbordante enquanto atravessávamos o vale do Jordão; nosso tempo em Jerusalém tinha sido incrivelmente significativo, e as ricas amizades que havíamos cultivado ali se demoravam e bailavam em minha mente. No dia seguinte, sexta-feira, fomos de carro até Tzfat para caminhar pelas ruas estreitas e fazer nossas compras de Shabbat. No caminho para Tzfat, Yonah me ligou.

"Teria alguma possibilidade de você voltar a Jerusalém para passar o Shabbat aqui?", ele perguntou. Senti-me lisonjeada e surpresa. No fim das contas, porém, fiquei em Tiberíades, e passei boa parte do Shabbat refletindo sobre nossa rápida conversa ao telefone e sobre o pedido inesperado de Yonah.

Quando o Shabbat terminou no sábado à noite, enviei uma mensagem para Yonah. Ele acabou ligando. Enquanto eu estava na sacada do quarto na pousada, vendo a lua refletida sobre as ondulações do mar da Galileia, conversamos sobre nosso Shabbat e sobre a *parsha* semanal, a passagem da Torá que judeus do mundo inteiro estavam lendo naquela semana. Depois de uma breve pausa na conversa, Yonah perguntou se eu estaria disposta a prolongar minha estadia em Israel.

Quase não dormi depois daquela conversa. O voo de volta para os Estados Unidos estava marcado para a noite seguinte. Levantamos e saímos para nosso último dia corrido de passeios; Amy e Erin queriam aproveitar ao máximo os momentos finais. Tive a impressão de que paramos em todos os lugares que pareciam importantes entre Tiberíades e Tel Aviv. Eu esperava no carro, estacionada em lugares proibidos, enquanto elas literalmente corriam para conhecer uma dezena de locais "imperdíveis". Enquanto elas tiravam fotos de igrejas famosas e ruínas romanas antigas, eu ligava para companhias aéreas e operadoras de cartão de crédito, tentando entender quais seriam as implicações financeiras se eu resolvesse ficar mais alguns dias.

E, enquanto Amy e Erin caminhavam apressadamente por Cesareia Marítima, enviei uma mensagem de texto para Yonah. "Não consigo mudar o voo por menos de mil dólares". Um momento depois, soou a notificação de mensagem. Ele respondeu: "Eu pago".

Yonah era sócio em uma empresa de mudança com seu irmão Jake e se organizou para tirar a tarde de folga a fim de passarmos algumas horas juntos em Tel Aviv, enquanto Amy e Erin davam um último mergulho no Mediterrâneo. Yonah pegou o ônibus para Tel Aviv, fomos buscá-lo na rodoviária Arlozorov e, depois, rumamos para a praia. Eu não conseguia pensar com clareza no meio daquela situação surreal.

Quando chegou a hora de voltarmos para o carro, percebi que certamente me arrependeria se não ficasse mais alguns dias para ver o que aconteceria. De repente, essa ideia me pareceu extremamente clara e, no saguão do hotel de frente para o mar, resolvi ficar. Yonah e eu levamos Erin e Amy ao aeroporto e, depois, voltamos para Jerusalém.

ಬಾ • ಬಾ • ಬಾ

Uma vez que o foco do Shabbat não é aquilo de que "abrimos mão" em virtude das restrições prescritas, mas, sim, aquilo que ganhamos ao ingressar na santidade do dia, começamos a ver as restrições em si como um portal para um encontro mais profundo com Deus. Nas palavras de Heschel: "O Shabbat não é ocasião para diversão ou frivolidade; não é um dia para soltar fogos de artifício ou dar cambalhotas, mas uma oportunidade de restaurar nossa vida esfarrapada; para juntar tempo, em vez de dissipá-lo. [...] De fato, as proibições conseguiram evitar a vulgarização da grandiosidade desse dia".[6] Ao deixarmos de assistir à Netflix, ou sair para tomar café, ou limpar a garagem no Shabbat, preservamos a santidade do dia.

Ademais, as restrições e prescrições concretas para o Shabbat são aquilo que o mantém atrelado à existência material, em oposição ao dualismo platônico. Mesmo enquanto perscrutamos a eternidade no sétimo dia, não escapamos de nossa existência encarnada neste mundo. Como Heschel explica: "O Shabbat precisa estar sempre em consonância com atos reais, com ações e abstenções definidas".[7] No Shabbat, brincamos com os filhos no tapete, fazemos refeições especiais preparadas de antemão e caminhamos na natureza, experimentamos a renovação do corpo por meio de tempo dedicado a atividades que, em geral, não entram em nossa lista de coisas a fazer.

O descanso no Shabbat é fundamentado em dois momentos importantes da Bíblia: primeiro, nosso descanso reflete o descanso do próprio Deus no fim do processo da criação. "Lembre-se de guardar o sábado, fazendo dele um dia santo", diz Êxodo 20.8, em que honrar o sábado aparece como o mais longo dos Dez Mandamentos. "O SENHOR fez os céus, a terra, o mar e tudo que neles há em seis dias; no sétimo dia, porém, descansou" (Êx 20.11).

O descanso é inserido na ordem criada, e entrar nele é uma das maneiras pelas quais vivemos como portadores da imagem de Deus. Embora nosso trabalho da semana provavelmente não esteja concluído quando chega o Shabbat, ainda assim separamos um dia para ter comunhão com o Deus que nos ensinou a descansar, não obstante as tarefas que tenhamos completado ou não durante a semana. Desse modo, o dia da semana é relativizado pelo Shabbat; o trabalho que realizamos durante a semana dá lugar ao descanso que priorizamos no Shabbat. Se, como afirma Agostinho, a obra da fé consiste em ordenar corretamente nossos amores, o compromisso com o Shabbat faz uma declaração inequívoca a respeito de qual modo de tempo norteia nossa vida devocional.

Segundo, nosso descanso no Shabbat celebra o êxodo do Egito, a libertação, por Deus, de seu povo, Israel, da escravidão brutal que afligia a alma. Quando os Dez Mandamentos são reiterados em Deuteronômio 5, essa é a razão apresentada para o mandamento sobre o sábado. "Lembre-se de que você era escravo no Egito, e o SENHOR, seu Deus, o tirou de lá com mão forte e braço poderoso. Por isso, o SENHOR, seu Deus, ordenou que você guarde o sábado" (Dt 5.15).

De acordo com Deuteronômio 5, nossa observância do sábado constitui uma lembrança semanal de que a redenção é, em última análise, obra de Deus. Esse refrão é repetido inúmeras vezes nas Escrituras. Na história incrível da travessia do mar Vermelho, em que os israelitas se encontram aterrorizados pelo faraó e seu exército implacável que os perseguia, o que Moisés diz à multidão em pânico? "Não tenham medo. Apenas permaneçam firmes e vejam como o SENHOR os resgatará neste dia. Vocês nunca mais verão os egípcios que estão vendo hoje. O próprio SENHOR lutará por vocês. Fiquem calmos!" (Êx 14.13-14). Essa verdade é ilustrada com força total na cruz, em que o triunfo máximo do bem sobre o mal foi conquistado sem nenhuma contribuição de nossa parte.

Esse tema repetido na narrativa bíblica constitui uma ressalva fascinante e importante para aquilo que discutimos no capítulo anterior. Embora o judaísmo leve a sério a vocação da humanidade de trazer redenção, nunca realizamos essa tarefa monumental por nossa própria conta. Nossas ações refletem e manifestam a vitória soberana de Deus sobre as forças da morte e das trevas.

De acordo com um ditado do judaísmo, "o Shabbat tem guardado o povo judeu mais do que o povo judeu tem guardado o Shabbat". É verdade. O Shabbat é uma das pedras angulares da fé e da vida judaicas, e sua observância ao longo dos séculos impediu o povo judeu de se dissolver nas culturas e sociedades dominantes dentro das quais ele quase sempre viveu. Essa realidade é uma séria advertência sobre o poder de nossas práticas e de nossos hábitos ao vivenciar nossa vocação como povo de Deus.

ᘛ•ᘛ•ᘛ

Afinal, o que aconteceu? Por que o Shabbat judaico é tão distante do culto e do discipulado cristãos em geral? Embora o culto de domingo (edificado sobre o alicerce da ressurreição) esteja presente no Novo Testamento, a divisão final entre o Shabbat judaico e a prática cristã de prestar culto no domingo está inserida nas complexidades da separação entre o judaísmo e o cristianismo.[8]

Uma janela através da qual podemos enxergar esse desdobramento é a *Epístola de Barnabé*, redigida, provavelmente, antes da rebelião de Bar Kochba no início do segundo século e que focaliza a transformação do judaísmo e do cristianismo, cada vez mais, em duas comunidades separadas e mutuamente exclusivas. De acordo com *Barnabé*, judeus e cristãos não têm uma aliança em comum com Deus, e o compromisso do povo judeu com a prática judaica (que abrange o Shabbat) revela sua incapacidade de entender o verdadeiro cerne do amor de Deus na aliança e evidencia seus olhos cegos, seu coração endurecido e seus enganos perversos.

Barnabé comenta a repreensão divina em Isaías 1.13 ("suas festas de lua nova, seus sábados e seus dias especiais de jejum são pecaminosos e falsos; não aguento mais suas reuniões solenes!") e conclui que Deus chamou os cristãos a "guardar o oitavo dia como dia de alegria, em que, também, Jesus ressuscitou dos mortos e, depois de ter aparecido, subiu ao céu".[9] Fica evidente no texto de *Barnabé* que, a essa altura, o culto cristão era realizado no domingo com o propósito claro de dissociá-lo do povo judeu e das práticas judaicas.

Uma vez que Constantino se tornou imperador em 306 d.C., publicou uma série de decretos que permitiam e facilitavam o culto cristão no domingo. Aliás, Constantino foi uma figura importante na separação entre judaísmo e cristianismo. Embora seu apoio ao culto no domingo provavelmente tenha se devido a sua identificação com o movimento cristão em desenvolvimento (bem como à conveniente sobreposição com o dia pagão de adoração ao sol, que também continuou a ser importante para Constantino), suas ações contribuíram para ampliar o abismo entre a comunidade cristã, em sua maior parte gentílica, em todo o Império Romano e o povo judeu. Também neste caso, vemos seguidores judeus de Jesus posicionados como a ponte do meio-termo excluído, em processo de desintegração.

O que tudo isso significa para os cristãos de hoje? A meu ver, os cristãos não têm a mesma relação com o Shabbat judaico que os judeus, nem devem se sentir na obrigação de observar o Shabbat no dia ou da forma que o fazem os judeus. Aliás, a instituição do domingo como dia cristão de culto se tornou um esteio importante do cristianismo de uma forma que o estabeleceu como tempo essencial de comunhão, adoração e enriquecimento mútuo.

Penso, contudo, que os cristãos podem aprender com uma compreensão mais profunda do Shabbat judaico uma espécie de ética *do dia de descanso*, da qual toda pessoa de fé pode se beneficiar. Os contornos do Shabbat judaico podem servir de desafio para a maneira como os cristãos priorizam seu tempo e seus recursos e, talvez, ser um estímulo para considerar a possibilidade de separar um dia por semana como tempo de reflexão intencional, ou retiro pessoal, ou tempo de qualidade com a família.

Ademais, entender o Shabbat judaico faz parte de entender a substância da vida judaica, o que ajuda os cristãos a compreender a força vital de seus antepassados na aliança. Minha esperança é que a consideração do Shabbat a partir de determinada perspectiva também ajude a desconstruir os estereótipos extremamente comuns dos cristãos a respeito do legalismo judaico e da religiosidade irrefletida.

Vale a pena mencionar, ainda, que o domingo, o Dia do Senhor, tem algo de grande importância a nos ensinar sobre a vida de fé. A comunidade primitiva de seguidores de Jesus começou a se reunir e prestar culto no domingo porque esse foi o dia em que Jesus ressuscitou dos mortos. Embora, posteriormente, a distinção nítida entre o Shabbat dos judeus e o Dia do Senhor dos cristãos tenha se tornado politizada e polarizadora, esse fato básico não pode ser desconsiderado. Os primeiros seguidores de Jesus reconheceram que algo incrível, algo cósmico, havia acontecido no domingo depois da crucificação brutal de Jesus, algo que mudou o curso da história e que aponta para nosso destino final. Nosso desafio consiste, portanto, em acolher a riqueza e a beleza inerentes do Shabbat no judaísmo e, ao mesmo tempo, reconhecer a novidade fundamental que o Dia do Senhor comemora.[10]

ℭ・ℭ・ℭ

Para mim, o Shabbat se tornou uma dádiva que se renova a cada semana. Não importa quão caótica tenha sido a semana, sei que o Shabbat estará me esperando de braços abertos. Tenho, verdadeiramente, a sensação de uma qualidade diferente do sábado em relação ao tempo "comum"; é um tempo sublime, em todos os sentidos da palavra.

Nada de telas brilhantes, telefones tocando, som de música ou televisão ao fundo. Nada de checar e-mails. Nada dos dias de trabalho que exija atenção. Refeições demoradas, sem consultar o relógio. Conversas que podem se estender por tanto tempo quanto desejarmos. Caminhadas pela manhã sob a luz cintilante do sol que passa por entre os galhos das árvores. Tardes relaxando no parque com um bom livro e chá gelado.

O tempo precioso com amigos e familiares que tipifica o Shabbat se encontra lado a lado com outro elemento desse dia, uma característica mais silenciosa e, por vezes, perturbadora. Em meio à alegria de poder respirar livremente, com a lista de afazeres guardada até a manhã de domingo, o Shabbat revela e nomeia nossa dependência do burburinho e das muitas atividades da semana (e vício neles?). As exigências prementes e os prazos têm uma qualidade entorpecedora cuja função é nos impedir de aquietar a mente tempo suficiente para que venham à tona pensamentos mais difíceis. A incerteza, os medos, as perdas. Os braços abertos do Shabbat não discriminam; eles criam espaço para que venham à tona a doçura das interações e dos relacionamentos, mas também tristeza e anseio. Tudo se encontra ali, no dia sagrado de descanso e, por vezes, de inquietação.

Claro que até mesmo esse aspecto mais frágil e mais vulnerável do sábado é de grande valor. Revela que, quanto mais fugimos e tentamos silenciar os pensamentos sombrios e recorrentes, mais poder eles adquirem. Há certa liberdade em cessar os esforços propositadamente intermináveis, dar meia-volta e confrontá-los. Separar tempo para estar com eles, para estudar seus contornos em vez de fugir deles, permite que construamos um relacionamento com eles em vez de sermos por eles consumidos. Logo, embora esses aspectos difíceis e ameaçadores do silêncio do Shabbat sejam dolorosos, também fazem parte da semeadura de nossa alma.

9
O Espírito

> Porei dentro de vocês meu Espírito,
> para que sigam meus decretos
> e tenham o cuidado de obedecer a meus estatutos.
>
> EZEQUIEL 36.27

Enquanto Amy e Erin chegavam a Los Angeles, Yonah e eu nos encontrávamos na Praça Sião. Dali, saímos para Even Sapir, onde passaríamos o dia caminhando na Trilha de Israel e continuando a nos conhecer melhor. Só consegui acrescentar três dias a minha estadia, pois, meses antes, havia assumido o compromisso de ser a pregadora convidada em uma igreja em Lake Tahoe naquele domingo. Portanto, Yonah foi incluído no preparo do sermão, que agora seria escrito em Israel, e não em Los Angeles. No meio de nossa caminhada, sentamo-nos a uma mesa de piquenique com vista para a floresta de Jerusalém e lemos o Evangelho de Marcos do começo ao fim.

— Você gostaria de conhecer minha família hoje à noite? — Yonah perguntou, enquanto caminhávamos de volta para o carro.

— Claro — respondi, sem hesitar. Afinal, morávamos em lados opostos do mundo e só tínhamos mais dois dias e meio juntos. Por que eu não iria querer acrescentar a tudo isso a pressão de conhecer a família dele?!

Yonah tinha nascido nos Estados Unidos e sido educado no movimento judaico messiânico em Virgínia, e sua família sempre havia adotado uma forte ideologia sionista. Enquanto eu me mudava para o dormitório da universidade no primeiro ano, Yonah se mudava para Israel em busca de um sonho que ele havia cultivado desde pequeno. Ele foi o primeiro de sua família a fazer a *aliyah* (termo hebraico que significa "subida", usado para o judeu que imigra para Israel), e seus pais e a família de Jake chegaram pouco tempo depois. Jake e a esposa, Sarah, tinham sete filhos, e a família toda (bem como os pais de Sarah e dois irmãos dela) morava em um bairro ao norte de Jerusalém. Embora Yonah tivesse cidadania americana e israelense, não planejava sair de Israel; quando nos conhecemos, fazia oito anos que ele não voltava aos Estados Unidos.

Yonah e eu compramos falafel e shawarma para a família toda e os encontramos no parque Haggai, onde fui acolhida pronta e calorosamente por seus familiares. Jantamos na varanda da casa de Jake e Sara, e algo na dinâmica da família fez com que eu me sentisse à vontade. As meninas me levaram para o quarto delas depois do jantar para me mostrar seus artesanatos com miçangas, e o pai de Yonah me deu uma breve lição de botânica sobre as árvores que faziam sombra no quintal.

Depois de mais dois dias repletos de passeios, Yonah me deu carona para o aeroporto e nos despedimos no meio de um corredor lotado, antes de eu passar pela segurança. "Ligue para mim quando chegar", disse Yonah, soltando minha mão com relutância.

No voo de quinze horas de volta para os Estados Unidos, reprisei mentalmente cada detalhe da semana anterior; era como se minha fixação mental naqueles dias fosse a única coisa que lhes conferisse realidade. Com o passar das horas, à medida que se aproximava minha chegada a Los Angeles, meus pensamentos se voltaram para o âmbito teológico.

Yonah e sua família viviam imersos em uma cultura israelense judaica mais ampla, muito diferente de minha comunidade cristã evangélica no Seminário Fuller. Por certo, aos poucos eu vinha me aprofundando no mundo judaico messiânico, mas até mesmo esse universo parecia algo completamente distinto da vida que Yonah vivia.

Esse seria um dos aspectos mais difíceis de nosso relacionamento de namoro a distância; cada vez que um visitava o outro, a enorme incongruência entre a vida dele e a minha ameaçava fazer desmoronar nosso relacionamento e os sonhos e desejos que tínhamos em comum. Yonah se sentia um peixe fora d'água em meu mundo de ensino superior cristão e teologia acadêmica. E eu comecei a ter a impressão de que a vida com ele e a vida que eu havia construído antes de conhecê-lo se traduziam, de algum modo, em um jogo de soma zero.

A complexidade da situação toda também continuou a permear minhas ruminações teológicas. Como o mesmo Espírito podia infundir o modelo Vineyard de "fazer as coisas" que havia influenciado tanto meu desenvolvimento espiritual desde a faculdade *e também* os ritmos inteiramente judaicos, de observância da Torá, dentro dos quais Yonah e sua família em Jerusalém viviam?[1] Resolvi tratar desse tema em minha apresentação na reunião do ano seguinte do grupo de Helsinki, que seria realizada em Oslo, Noruega.

∽•∽•∽

De acordo com a teologia judaica messiânica de Mark Kinzer, ser seguidor de Jesus é algo diferente para os judeus em comparação com gentios. Kinzer chama essa ideia de "eclesiologia bilateral"; em outras palavras, a *ekklēsia*, ou corpo de Cristo, tem duas partes. Para os judeus, seguir o Messias significa pôr em prática os contornos da aliança perene de Deus com Israel e crer que Jesus é o ápice da aliança e o modelo supremo de fidelidade à aliança. Para os gentios, seguir Jesus não exige adesão à prática ou à tradição judaica. Kinzer destaca passagens importantes do Novo Testamento que confirmam essa configuração, mas que, na maioria dos casos, foram entendidas de forma diferente em decorrência da história da interpretação bíblica cristã.[2]

Ao escrever minha monografia para a reunião do grupo de Helsinki, perguntei-me se o conceito de Kinzer de eclesiologia bilateral também poderia se aplicar a outras áreas da reflexão teológica. Comecei a me perguntar especialmente se a vinda do Espírito poderia significar algo diferente para judeus em comparação com gentios.

Ao fazer essa pergunta, é essencial deixar claro que a *unidade* no corpo do Messias, com suas duas partes, não pode ser negligenciada nem minimizada de nenhuma forma. Abandonar a unidade seria o mesmo que minimizar a tônica de todo o Novo Testamento e reconstruir o "muro de inimizade" que nos separava e que, como Paulo garante, foi derrubado por meio de Cristo (Ef 2.14). Kinzer não procura questionar nem contestar essa unidade; antes, está determinado a ressaltar que a unidade, nesse caso, nunca foi planejada para ser uniformidade. Foi dentro desse compromisso resoluto com a unidade que comecei a explorar as questões associadas ao Espírito Santo.

Meu ponto de partida para me aprofundar na pneumatologia (doutrina do Espírito) judaica messiânica foi a asserção de que a dádiva do Espírito reforça os contornos da vocação específica de Israel e, ao mesmo tempo, cria espaço para que os gentios entrem em um relacionamento de aliança com Deus e com o povo de Deus. Minha pergunta era: O que a vinda do Espírito poderia significar para os seguidores judeus do Messias?

A narrativa de Pentecostes em Atos 2 ocorre durante a festa judaica de Shavuot, detalhe importante que oferece o contexto necessário para entender a vinda do Espírito. Em hebraico, Shavuot significa "semanas" e se refere às sete semanas entre o êxodo do Egito e a revelação por Deus dos Dez Mandamentos no monte Sinai. Judeus de fala grega chamavam Shavuot de Pentecostes (o "quinquagésimo" dia, isto é, sete semanas).

De acordo com uma tradição judaica que provavelmente já era conhecida no primeiro século, Shavuot celebra o dia em que Deus deu a Torá aos israelitas e é uma das três festas de peregrinação do judaísmo (juntamente com a Páscoa judaica e Sukkot); isso explica por que, em Atos 2.5, "naquela época, judeus devotos de todas as nações viviam em Jerusalém". As imagens do relato de Pentecostes em Atos 2 são paralelas à narrativa de Êxodo 19—20 da entrega dos Dez Mandamentos por Deus no Sinai. Êxodo 19.16 se refere a "estrondo de trovões e clarão de raios", "uma nuvem densa [que] envolveu o monte" e "um toque longo de trombeta". De modo semelhante, Atos 2.2-3 fala de "um som como o de um poderoso vendaval" e "algo semelhante a chamas ou línguas de fogo".

A fim de desenvolver esses paralelos entre Shavuot (a dádiva da Torá) e Pentecostes (a dádiva do Espírito), primeiro temos de observar a ligação próxima entre a entrega da Torá e o êxodo do Egito. Na história e na teologia de Israel, esses acontecimentos são dois lados da mesma moeda; são dois passos essenciais para que Israel obtenha liberdade. Mas como é essa liberdade?

No linguajar coloquial ocidental, a liberdade é entendida instintivamente como "liberdade para", o que implica ausência de restrições e capacidade de autodeterminação. Esse tipo de liberdade é sinônimo de *autonomia*; a Declaração de Independência dos Estados Unidos, por exemplo, promete proteger essa liberdade como "direito inalienável", e os cidadãos americanos a defendem como valor fundamental.

No entanto, essa ideia não capta a essência da liberdade bíblica. Da perspectiva das Escrituras, a autodeterminação é o caminho garantido para a destruição. A história de Israel mostra repetidamente como a vida comunitária do povo depende de sujeição à vontade e aos caminhos de Deus. A liberdade bíblica é mais apropriadamente categorizada como "liberdade de", em vez de "liberdade para"; é mais *libertação* do que *autonomia*.[3] A obediência e a submissão a Deus constituem o único caminho para a liberdade dos muitos falsos deuses que competem por nossa lealdade e prometem uma vida copiosa. A história de Israel dá testemunho de que desviar-se da obediência a Deus leva, inevitavelmente, à idolatria.

Esse conceito bíblico de liberdade reforça a importância teológica do acontecimento do êxodo-Sinai. Como o rabino Donin explica: "A festa de Shavuot enfatiza a lição espiritualmente importante de que livramento da escravidão e obtenção de liberdade política não constituem liberdade completa a menos que tenham como ponto culminante as *restrições, disciplinas e deveres* inerentes à Revelação a Israel e à aceitação por Israel da Torá".⁴

Se os israelitas houvessem sido libertados do Egito apenas para buscar os próprios desejos, teriam simplesmente trocado um senhor cruel por outro. Em outras palavras, se o êxodo fosse uma questão de Israel obter liberdade, essa liberdade seria incompleta e mal direcionada sem a Torá.

Uma vez que a Torá é ligada de modo próximo à liberdade e que a vinda do Espírito ocorre durante a celebração anual por Israel da dádiva da Torá, podemos declarar, como Paulo fez, que "onde está o Espírito do Senhor, ali há liberdade" (2Co 3.17). Devemos lembrar, contudo, que essa liberdade não significa ausência de restrições ou limites. Ela se caracteriza por estrutura comunitária, ordem e submissão a Deus. Logo, o Espírito capacita o povo de Deus a avançar em sua jornada e provê à comunidade os mesmos tipos de "restrições, disciplinas e deveres" que Israel sempre teve por meio da Torá.

Aliás, para Israel, a vinda do Espírito é de fato correlacionada a poder concedido para obedecer à Torá. Durante o exílio na Babilônia, a promessa profética de restauração anunciada por Ezequiel antevê um tempo em que Deus reunirá os membros de seu povo das nações para onde foram dispersados e os levará de volta à terra de Israel (Ez 11.17). Ezequiel prossegue: "Quando eles regressarem para sua terra natal, removerão todos os resquícios de suas imagens repugnantes e de seus ídolos detestáveis. Eu lhes darei um só coração e colocarei dentro deles um novo espírito. Removerei seu coração de pedra e lhes darei coração de carne, para que obedeçam a meus decretos e estatutos. Então eles serão o meu povo, e eu serei o seu Deus" (Ez 11.18-20).

No capítulo 36, Ezequiel profetiza mais uma vez o regresso de Israel à terra prometida e anuncia a promessa de Deus: "Eu lhes darei um novo coração e colocarei em vocês um novo espírito. Removerei seu coração de pedra e lhes darei coração de carne. Porei dentro de vocês meu Espírito, para que sigam meus decretos e tenham o cuidado de obedecer a meus estatutos. Vocês habitarão em Israel, a terra que dei a seus antepassados. Vocês serão o meu povo, e eu serei o seu Deus" (Ez 36.26-28). De acordo com a visão de restauração que Ezequiel teve, a terra, a obediência à Torá e a dádiva do Espírito de Deus andam juntas.[5]

Dessa perspectiva, o povo de Israel é capacitado para obedecer à Torá por poder divino concedido pelo Espírito de Deus. O Messias oferece expiação pelos pecados e dá exemplo de cumprimento perfeito da Torá, e a dádiva do Espírito capacita os discípulos de Cristo para que sigam seus passos. Pelo poder do Espírito, Israel recebe todo o necessário para vivenciar plenamente a vida para a qual é chamado, uma vida de obediência e submissão a Deus.

⁂

Yonah e eu tínhamos nos conhecido em julho, e ele foi à Califórnia para a Sukkot (Festa das Cabanas) em setembro. Passamos a primeira metade de sua visita em Pasadena, e eu comprei meu primeiro *sukkah*[6] de uma pequena loja no vale de San Fernando na semana antes de ele chegar. Yonah deu uma palestra para uma de minhas turmas da faculdade de teologia. ("Hoje você não pode beber da mesma garrafa de água que eu; temos de transmitir um ar de profissionalismo!", expliquei para ele quando chegamos à universidade.) E, na metade de Sukkot, fomos de carro para Tahoe, passar uns bons dias com minha família.

Depois que me tornei seguidora de Jesus na faculdade, meus pais começaram a investigar o que o cristianismo dizia, em grande parte para tentar mostrar que meu irmão e eu estávamos errados. O pastor da igreja Vineyard que eu frequentava tinha me dado um livro para eu entregar a meu pai; o título era *Traído!* e o subtítulo, *Como você se sente quando é bem-sucedido, tem 50 anos, é judeu, e sua filha de 21 anos diz para você que crê em Jesus?*.[7] Essa era, basicamente, nossa situação.

Meu pai leu o livro com fervor e, apesar de suas intenções, foi surpreendido pelo caráter inegavelmente verdadeiro das asserções de Jesus. Seus vínculos com o judaísmo nunca tinham sido fortes, e ele ficou curioso com esse Messias que não tinha medo de criticar a religiosidade e que incentivava uma ligação pessoal com Deus.

Minha mãe ficou arrasada quando meu irmão e eu lhe falamos de nossa fé em Jesus e se sentiu traída. Ela se culpou por não instilar em nós percepção profunda o suficiente de nossa identidade judaica e, mais que depressa, entrou em contato com o rabino de sua juventude em busca de orientação. No final, embora sua jornada tenha sido marcada por muito mais lutas e dificuldades que a de meu pai, ela também professou a fé em Jesus. Meus pais começaram a participar de uma igreja local, e embora minha mãe comentasse com frequência que sentia uma ligação mais natural com seus amigos judeus não cristãos do que com esses gentios cristãos evangélicos, cada vez mais eles encontraram seu lar espiritual nessa comunidade cristã específica. Ao longo dos anos, experimentei inexprimível gratidão porque meu compromisso pessoal com Jesus não causou um rompimento permanente com minha família mais próxima, como é o caso em grande parte das famílias de judeus.

Enquanto Yonah e eu estacionávamos em frente à casa, meus pais desceram as escadas da porta da frente para nos receber. Nosso relacionamento era, afinal de contas, o assunto mais emocionante da cidadezinha em que eles moravam.

Embora minha família tenha, inevitavelmente, se apaixonado pelo espírito amável de Yonah e sua bondade evidente, ele não foi recebido de braços tão abertos quanto eu fui, de imediato, na família dele. Ele estava determinado a viver em Israel, algo que minha família interpretou, compreensivelmente, como uma séria ameaça a nossa estrutura familiar bastante unida. Esse não era um conflito apenas para eles.

Para mim, foi o aspecto mais intenso do longo processo de discernimento no qual entrei abruptamente ao começar o namoro com Yonah. Eu não havia sido educada com o mesmo tipo de zelo sionista que Yonah e me perguntei, pela primeira vez, se conseguia me enxergar vivendo em Israel.

Quando Yonah chegou a Tahoe, recebeu um documento de seis páginas com dezessete perguntas que meu pai havia redigido para que fosse preenchido antes de um almoço que ele havia pedido para ter apenas com Yonah. As perguntas iam desde "Quais são suas filosofias sobre estrutura familiar e papel dos gêneros?" até "Você tem condições financeiras de sustentar esposa e filhos?" e "Você se preocupa com a ideia de formar família em um país condenado a ser extinto pelas nações vizinhas?".

Não pude deixar de me lembrar do texto cômico "Formulário para namorar minha filha" que havia circulado na internet alguns anos antes. Mas não era brincadeira. Felizmente, meu irmão acabou participando do almoço e serviu como uma espécie de árbitro durante a conversa tensa (pelo menos, foi o que me contaram). Ele interviu quando meu pai tentou interromper as respostas formuladas com todo o cuidado por Yonah para uma série absolutamente impossível de perguntas e, em alguns casos, declarou que certos aspectos do interrogatório de meu pai passavam claramente dos limites.

Como meu pai relatou mais tarde, Yonah não se mostrou nem um pouco abalado diante das táticas mais astutas de intimidação e de obstrução do futuro sogro. "Ele deixou claro que contornaria qualquer obstáculo que eu levantasse", meu pai se recordou com um sorriso irônico no rosto. "Queria se casar com minha filha, e eu logo percebi que não seria capaz de dissuadi-lo." Embora nosso relacionamento, sem dúvida, tenha passado por muitos altos e baixos, meus pais foram os primeiros a entender que a disposição ponderada de Yonah e sua profunda fidelidade são o melhor complemento e o melhor antídoto possíveis para minhas emoções fugazes, porém intensas, e para minha tendência de viver sempre na expectativa de uma catástrofe.

Passei o mês de dezembro no clima chuvoso de Israel, e Yonah voltou à Califórnia para a Páscoa em abril. Nos meses entre nossos encontros, agradecemos a Deus por planos de telefonia que permitiam chamadas internacionais de custo acessível. Muitas noites, eu era acordada no meio de um ciclo de sono pelas ligações que Yonah fazia antes de sair para o trabalho. Uma diferença de dez horas não é brincadeira.

Sempre que um de nós visitava o outro, nosso relacionamento era testado até se aproximar do ponto de ruptura. Perdi as contas de quantas vezes me sentei em bancos de praças aos prantos (constrangedor, eu sei). Lembro-me claramente de pelo menos uma dúzia de episódios angustiantes ao longo daquele ano em que tive certeza de que nosso relacionamento iria acabar, momentos em que mergulhei em um turbilhão de tristeza a respeito daquilo que quase havíamos conseguido ter.

E, no entanto, mesmo quando as diferenças ameaçaram romper nossos vínculos, conseguimos trabalhar os conflitos e permanecer juntos. Yonah fazia questão de mostrar que, por vezes, eu tratava nosso relacionamento como se fosse uma planilha cujos cálculos não batiam. Com calma, ele contrabalançava persistentemente minha sensação de que precisávamos tratar de antemão de todos os detalhes hipotéticos futuros.

Meu irmão suplicou que eu não tomasse uma decisão tão importante sem antes passar três meses no mesmo lugar que Yonah, o que me pareceu um conselho sábio. Desvencilhei-me de todos os compromissos em Los Angeles nas férias de verão seguintes, e Yonah encontrou uma quitinete para mim a apenas uma quadra de onde ele morava.

Mais uma vez, quando o calor do verão chegou para ficar, embarquei em um voo para Israel. Yonah me recebeu no aeroporto com um buquê de flores e, depois de passarmos no supermercado, fomos para meu apartamento. Quando chegamos lá, encontramos os pais dele fazendo uma tremenda faxina, pois tinham recebido as chaves só naquela tarde. Em meio ao cheiro forte de água sanitária, o pai dele me abraçou com força, deu um passo para trás e, em seguida, me abraçou forte novamente. "É bom demais ver você, Jen!", ele exclamou por entre sua barba de Papai Noel.

∽•∽•∽

Se a vinda do Espírito dá poder aos seguidores judeus de Jesus para que tenham uma vida de obediência fiel à Torá, a pergunta seguinte é: O que a dádiva do Espírito significa para os seguidores gentios de Jesus?

Em Atos 3—9 há várias referências à presença e ao poder do Espírito no meio da comunidade de crentes, e Atos 10 relata a inclusão surpreendente dos gentios nesse movimento cada vez mais amplo de Deus. Depois que Cornélio e Pedro recebem visões de Deus, Pedro vai à casa de Cornélio, onde relata o que Deus fez em Cristo. E, enquanto Pedro ainda falava, "o Espírito Santo desceu sobre todos que ouviam a mensagem" (At 10.44). Pedro e seus companheiros judeus "ficaram admirados de que o dom do Espírito Santo também fosse derramado sobre os gentios" (At 11.45). Nesse aspecto, o Espírito verdadeiramente estende a obra do Messias; a presença e a santidade de Deus continuam a se expandir, causando espanto até mesmo nos judeus que haviam seguido Jesus e que participavam de sua missão. Ao que parece, eles ainda não haviam percebido todas as implicações da expansão do reino de Deus da qual eles próprios faziam parte.

A presença do Espírito entre judeus e gentios ilustra o verdadeiro significado da declaração de que o "muro de inimizade" havia sido derrubado. Na visão de Pedro em Atos 10, ele recebe a instrução: "Não chame de impuro o que Deus purificou". A forma como Pedro entende essa visão é associada intimamente à comunhão entre judeus e gentios (e *não* ao consumo de animais impuros), como fica claro na interpretação que Pedro fornece em Atos 11 e 15. Em Atos 11, esta é a reação dos cristãos judeus à explicação de Pedro: "Vemos que Deus deu aos gentios o mesmo privilégio de se arrepender e receber vida eterna!" (At 11.18).

Por certo, é a dádiva do Espírito que cria e concretiza a unidade e a comunhão entre judeus e gentios. Três vezes em

Atos, é observado que o Espírito veio sobre os gentios *da mesma forma que veio sobre os judeus* (At 10.47; 11.15; 15.8-9). Para os crentes judeus, essa era uma prova irrefutável de que a obra de Deus se estendia além do povo de Israel.

No entanto, é definido logo no começo que as *implicações* da dádiva do Espírito (e da presença e obra de Deus) não são as mesmas para judeus e gentios. Essa é a questão que ocasiona o concílio de Jerusalém em Atos 15, e o fato de o Espírito vir sobre os gentios *como gentios* constitui o argumento de Pedro de que não é necessário exigir dos gentios obediência a todas as prescrições da Torá. Embora a presença do Espírito entre judeus e gentios exemplifique e concretize poderosamente a obra cada vez mais ampla de Deus no mundo, ao que parece ela não apaga a distinção (especialmente quanto às estipulações da fidelidade à aliança) entre judeus e gentios.

Assim como o Espírito confere aos judeus poder para guardar as "restrições, disciplinas e deveres" às quais a Torá sempre os havia chamado, o Espírito também ordena a vida dos seguidores gentios de Jesus *para que* eles vivam como povo de Deus ao lado do povo de Israel e unido a ele. As práticas exigidas dos cristãos gentios em Atos 15 mostram que eles deixaram de lado a idolatria e, como podemos imaginar, definem parâmetros básicos que permitem a comunhão à mesa entre judeus e gentios. Por meio da obra de Deus entre os gentios, eles passam a fazer parte da vida comunitária de Israel sem que eles próprios se tornem judeus.

Essa democratização do Espírito mostra a expansão cada vez maior da obra e da presença de Deus e estabelece uma ponte sólida entre judeus e gentios dentro do povo de Deus. Essa ponte não apaga as distinções, mas, sim, facilita e permite a comunhão próxima entre aqueles cujas vocações na aliança são diferentes na prática. Como a eclesiologia bilateral de Kinzer, esse retrato da pneumatologia bilateral ilustra a maneira pela qual a obra redentora e consumadora de Deus dá poder tanto a judeus quanto a gentios para que tenham uma vida de obediência de forma singular, mas conjunta.

Paulo diz: "Todos nós fomos batizados em um só corpo pelo único Espírito, e todos recebemos o privilégio de beber do mesmo Espírito" (1Co 12.13). É o Espírito que une o corpo de Cristo, com suas duas partes, e essa unidade precisa ser preservada ao mesmo tempo que seguidores judeus e gentios de Jesus vivem fielmente dentro dos contornos singulares de suas respectivas vocações redentoras.

ᘛ·ᘛ·ᘛ

Apresentei essas ideias no encontro do grupo de Helsinki, em Oslo, e, como era de esperar, o diálogo teológico com amigos cuja companhia eu valorizo tão intensamente foi uma verdadeira dádiva. O aspecto mais marcante de meu tempo em Oslo, porém, se revelou de modo inesperado.

Foi lá, enquanto passava tempo com esse grupo de amigos queridos, que obtive a clareza absoluta que vinha buscando havia um ano sobre meu relacionamento com Yonah. Na segunda noite, depois de me despedir do resto do grupo e me encaminhar para meu pequeno quarto no mosteiro em que estávamos hospedados, uma consciência profunda se materializou. Teve o mesmo peso da experiência em que ouvi a voz de Deus a respeito da viagem para Israel com a organização Direito Inato; foi algo claro, inconfundível e sólido, que nem mesmo meu intelecto podia desconstruir.

Percebi com total lucidez que a vida mais plena que eu podia imaginar seria vivida em Israel, com Yonah ao meu lado. A clareza surgiu no meio de um episódio de dissonância e tensão entre nós, e nossa última comunicação havia sido uma conversa pesada no aeroporto de Heathrow, em Londres, enquanto eu esperava por meu voo para Oslo.

Uma das maiores dificuldades dizia respeito a nosso cronograma. Yonah estava habituado ao mundo judeu ortodoxo, em que namoro e noivado constituem um processo relativamente breve e objetivo; muitas vezes, casais se conhecem, ficam noivos (ou até mesmo casam) em apenas alguns meses. Eu vinha de um modelo mais ocidental e moderno, e meus amigos me incentivaram a ir com calma e não apressar as coisas. Yonah e eu sabíamos que não era desejável nos envolvermos ainda mais se nosso namoro não ia terminar em casamento, mas nossas abordagens eram opostas. Para ele, quanto antes nos casássemos, melhor. Para mim, era impossível ficar noiva sem ter, antes, a clareza absoluta que veio finalmente em Oslo.

Enquanto essa consciência da vida plena se consolidava, permaneci ali, sentada na cama no canto do quarto, e escrevi um e-mail para Yonah. "É difícil explicar todas as coisas que tenho pensado aqui, a maior parte sobre o quanto sinto sua falta e desejo estar com você... para o resto da vida." Apesar de nossos desafios e diferenças, talvez o mesmo Espírito que une judeus e gentios também pudesse unir Yonah e eu.

10
Dias sagrados

Coloque-me como selo sobre seu coração,
como selo sobre seu braço.
Pois o amor é forte como a morte,
e o ciúme, exigente como a sepultura.
O amor arde como fogo,
como as labaredas mais intensas.

CÂNTICO DOS CÂNTICOS DE SALOMÃO 8.6

Quando o congresso de Oslo terminou, voltei a Israel. Meu tempo com Yonah pareceu qualitativamente diferente nesse retorno a Jerusalém, e a clareza que eu havia experimentado se mostrou duradoura e real. O que havia começado como um verão em Israel se tornou, cada vez mais, uma oportunidade de me ajustar a minha vida futura ali e de começar a planejar os contornos logísticos dessa vida. Em 3 de agosto, fomos comprar alianças na rua Jafa, no centro de Jerusalém e, em 10 de agosto, Yonah me pediu em casamento na praia de Herzliya, tendo como cenário as ondas que espumejavam e quebravam na areia.

Marcamos o casamento para apenas sete semanas depois, no quintal da casa de meus pais no lago Tahoe, torcendo para que não nevasse cedo naquele outono. Comecei uma nova rotina em que falava com minha mãe todas as manhãs em minha caminhada diária, e juntas planejamos por telefone cada detalhe do casamento. Em minha ausência, a melhor amiga dela a acompanhou na degustação do bolo e nas reuniões com a coordenadora da festa, e em 1º de setembro voltei para Los Angeles. Passei duas semanas maravilhosas com amigos, vendi tudo o que tinha e celebrei minha última grande festa judaica na comunidade da Sinagoga Messiânica Ahavat Zion.

Durante o doutorado, eu havia começado a tradição de ler um trecho da obra *A estrela da redenção* a cada ano no Yom Kippur, o Dia da Expiação. *A estrela da redenção*, cujo conteúdo denso foi escrito em cartões postais em trincheiras na Primeira Guerra Mundial, é a obra-prima de Franz Rosenzweig, filósofo judeu alemão do século 20. Nela, Rosenzweig apresenta a explicação mais abrangente e complementar já escrita do judaísmo e do cristianismo.

Rosenzweig inclui floreios detalhados sobre a importância teológica das festas judaicas e cristãs e como cada uma delas encena simbolicamente os movimentos de criação, revelação e redenção, eventos que fornecem a estrutura para todo o seu sistema teológico. No Yom Kippur, eu lia uma de suas reflexões sobre o significado desse dia, e nesse ano específico, apenas duas semanas antes de meu casamento, o texto falou comigo de forma inteiramente distinta de leituras anteriores.

Ao entrar nas horas difíceis da tarde do jejum de Yom Kippur, fui fortemente tocada pela discussão de Rosenzweig sobre as vestes usadas tradicionalmente por homens (e, em alguns círculos judaicos, por mulheres também) no feriado. Em geral, é costume vestir branco no Yom Kippur e, de modo específico, usar uma veste branca chamada *kittel*.

Como tudo no judaísmo, o significado desse ato tem várias camadas. O *kittel* é a veste judaica tradicional de sepultamento; vesti-lo no Yom Kippur representa a culpa coletiva do povo judeu diante de Deus, o foco principal desse dia. Deus não pode tolerar aquilo que é profano e impuro, e no Yom Kippur o povo judeu tem de encarar sua pecaminosidade e suas falhas. "Perdoa-nos, absolve-nos, faz expiação por nós", a liturgia de Yom Kippur suplica repetidamente. O Dia da Expiação é um dia de julgamento, em que cada judeu como indivíduo (e o povo judeu como um todo) se vê diante do peso de seu pecado e de sua culpabilidade diante de Deus.

O uso do *kittel* também representa, porém, o milagre do perdão de Deus, outro tema importante de Yom Kippur. Vestir o *kittel* é corporificar visualmente o conceito de Isaías 1.18: "Embora seus pecados sejam como o escarlate, eu os tornarei brancos como a neve". Para Rosenzweig, Yom Kippur é, portanto, de modo bastante entranhado, um dia de vida e de morte. Em lugar da morte que vem do pecado, Deus concede generoso perdão a seu povo e a dádiva da continuidade da vida. Um não existe sem o outro, e cada um confere significado ao outro.

Depois de Rosenzweig descrever de forma tocante o significado do uso do *kittel* no Yom Kippur, ele faz referência a Cântico dos Cânticos 8.6, em que lemos que "o amor é forte como a morte". Rosenzweig observa: "É por isso que o indivíduo usa, uma vez na vida, a veste completa de sepultamento: debaixo do dossel de casamento, depois de ter recebido essa veste das mãos da noiva em seu dia de casamento".[1]

Foi exatamente essa passagem que me deu um nó na garganta naquele ano. Eu a havia lido muitas vezes antes, mas nunca com o mesmo peso de significado. Morte e vida nova, pecado e perdão, arrependimento e absolvição, esses temas importantes que cercam o Yom Kippur também são os caminhos diários do casamento, uma realidade que eu vivenciaria de forma profunda nos anos por vir.

Aliás, de acordo com a tradição judaica, o dia do casamento de alguém é como seu Yom Kippur pessoal, e certas práticas tradicionais refletem essa correlação. Muitos judeus jejuam no dia de seu casamento, como fazem judeus do mundo inteiro no Yom Kippur; certas orações designadas para o Yom Kippur também são recitadas no dia do casamento; por fim, embora faça parte da tradição o homem vestir seu *kittel* no dia de casamento, a noiva, obviamente, usa um vestido branco. Um redemoinho dessas poderosas imagens encheu minha mente naquele dia, enquanto eu sentia o desconforto do jejum de Yom Kippur e me preparava para o casamento com Yonah.

Convém observar que há mais uma ocasião no calendário judaica em que o *kittel* é usado pelos judeus: no sêder anual de Páscoa, especialmente por aquele que dirige o sêder. Naquele Yom Kippur específico, refleti sobre a ligação não apenas entre Yom Kippur e casamento, mas também entre Yom Kippur e Páscoa.

༄ · ༄ · ༄

Muitas dessas ligações teologicamente ricas se perderam à medida que cresceu a distância entre o judaísmo e o cristianismo, rompendo os fios que antes entreteciam os ritmos cheios de significado do ano litúrgico.

Quando procuramos nos aprofundar nas ligações entre Yom Kippur e Páscoa, é proveitoso começar com alguns antecedentes de cada festa.[2] O Yom Kippur é instituído na Torá (especificamente em Lv 16; 23.26-32; Nm 29.1-11) e observado no décimo dia do sétimo mês do calendário hebraico, o mês de tisrei. Esse mês é antecedido de elul, e o mês inteiro de elul focaliza o tema do arrependimento. O primeiro dia de tisrei é Rosh Hashanah, o Ano-Novo judeu, que dá início aos Dez Dias de Reverência, um breve período exaltado e sublime de festas no calendário judaico.

De acordo com a tradição judaica, o período de quarenta dias de arrependimento do início de elul até o décimo dia de tisrei corresponde aos quarenta dias durante os quais Moisés intercedeu pelo povo de Israel depois do pecado da fabricação do bezerro de ouro. Em Êxodo 32, enquanto Moisés estava no alto do monte Sinai recebendo de Deus as duas tábuas de pedra, o povo ficou ansioso e impaciente, confeccionou um ídolo e lhe prestou culto, um acontecimento que se destaca como uma das maiores afrontas de Israel diante de Deus. Quando Moisés desceu ao acampamento e viu o povo dançando ao redor do bezerro de ouro, lançou ao chão as duas tábuas de pedra, despedaçando-as no pé do monte. É um dos piores momentos da história de Israel, em que seu pecado e sua culpa diante de Deus parecem irreparáveis.

E, no entanto, em uma narrativa extremamente comovente, Deus revela sua glória a Moisés, que fica na fenda de uma rocha, e prepara novas tábuas de pedra. Em um ato da mais absoluta e imerecida graça, Deus renova a aliança com seu povo, declarando ser "Javé! O Senhor! O Deus de compaixão e misericórdia! Sou lento para me irar e cheio de amor e fidelidade. Cubro de amor mil gerações e perdoo o mal, a rebeldia e o pecado" (Êx 34.6-7). Depois de Moisés permanecer no monte por mais quarenta dias e quarenta noites, ele desce novamente, agora com o rosto radiante, ao acampamento.

De acordo com os rabinos, foi desse acontecimento que nasceu o Yom Kippur, o dia que representa o ápice do pecado e da iniquidade do povo e, ao mesmo tempo, a profundeza do amor leal e do perdão imerecido de Deus. É nessa história magnífica que o povo judeu ingressa a cada ano vestido de branco e sempre necessitado de misericórdia e graça divinas.

A história da Páscoa judaica (em hebraico, *Pesach*) ocupa a narrativa do êxodo pouco antes de o povo chegar ao monte Sinai. Como parte da libertação dos israelitas das cadeias de escravidão do faraó, Deus envia dez pragas sobre os egípcios. Antes de se iniciar a décima praga (a morte dos primogênitos), Deus ordena a Moisés que instrua cada família israelita a matar um cordeiro e usar o sangue para marcar as ombreiras e as vergas das portas de suas casas. O espírito de destruição encarregado de tirar a vida de todos os filhos primogênitos vê o sangue na entrada das casas dos israelitas e passa por sobre as casas, poupando os primogênitos de Israel.

Em conformidade com as instruções de Deus, Moisés decreta que Israel deve observar a festa de Pesach a cada ano, e portanto, até hoje, os judeus se reúnem fielmente para a mais sagrada das refeições no décimo quarto dia do primeiro mês, o mês de nisã (Êx 12). A mesa é enfeitada com elementos e comidas especiais, que desempenham um papel na recordação (literalmente, na degustação) da experiência daquela noite fatídica e da jornada subsequente pelo deserto do Sinai. Logo, Israel comemora perpetuamente o fato de que, na noite mais sombria da história do Egito, a carne e o sangue de um cordeiro marcaram (e salvaram) os filhos de Abraão, Isaque e Jacó.

Durante o sêder anual de Páscoa, os judeus encenam e confrontam, mais uma vez, as dores da escravidão, as lágrimas de desespero e até mesmo os clamores dos egípcios. No entanto, também comemoramos o triunfo da libertação, a alegria do recomeço, o mistério do poder e do amor de Deus e a esperança de ter, algum dia, o devido lar na terra prometida.

Como os quatro Evangelhos deixam claro, a Páscoa judaica é o cenário da entrada triunfal de Jesus em Jerusalém, de sua "última ceia" com os discípulos e, por fim, de sua morte e ressurreição. No Concílio de Niceia, Constantino decretou a separação da Páscoa judaica e da Páscoa cristã, uma decisão que desencadeou um longo processo de eliminação das raízes judaicas da Semana Santa. A fim de nos aprofundar nessas ricas ligações fundamentais e redescobri-las, é necessário não apenas a reapropriação da ligação entre a Páscoa judaica e a Páscoa cristã, mas também a incorporação do Yom Kippur em nosso entendimento da Semana Santa.

∽·∽·∽

No pensamento de Rosenzweig, bem como na tradição judaica de modo mais geral, um *tallit* simboliza um *kittel*. Também é tradicionalmente branco e, embora geralmente seja usado durante o dia, a única exceção é a véspera de Yom Kippur, em que é usado depois do pôr do sol. Aliás, é da tradição usar o *tallit* o dia inteiro no Yom Kippur.

Muitos homens judeus só passam a ter ou a usar o *tallit* depois que se casam, e é tradicional a noiva dar um *tallit* (em lugar de um *kittel*) de presente para o noivo no dia do casamento. Yonah manteve essa tradição, e antes de voltarmos para os Estados Unidos fomos ao shopping Ramot, fora de Jerusalém, e escolhemos um lindo *tallit* que eu dei para ele como parte de nossa cerimônia de casamento.

Nosso casamento teve diversos elementos tradicionais judaicos que, sem dúvida, ofereceram uma aula de religião transcultural para os muitos convidados cristãos que participaram. Mark Kinzer foi o oficiante e, com grande sensibilidade, dirigiu os presentes ao longo dos vários elementos da cerimônia. Ele e Yonah se colocaram debaixo do *chuppa* (dossel judaico tradicional de casamento que representa o novo lar da noiva e do noivo, cobertos pela presença de Deus). Ali, depois de minha entrada, caminhei em volta de Yonah sete vezes, seguindo o costume judaico. A cerimônia teve a entrega do *tallit* diante dos presentes, uma leitura pública de nosso *ketubah* (contrato de casamento) e a tradicional quebra da taça no final. Esse ato é realizado como lembrança simbólica de que, mesmo nos momentos mais alegres da vida, temos de levar conosco a dor e a tragédia da história judaica, mais especificamente, as duas ocasiões históricas em que o templo em Jerusalém foi destruído.

O final de semana todo do casamento foi uma bela e confusa mescla de celebrações que começaram na sexta-feira à noite e terminaram com o café da manhã de segunda-feira. Na verdade, foi uma combinação de casamento e festa de despedida, o que, aliás, não recomendo. Amigos e familiares vieram de várias partes do país, e meu maior desejo era fazer o tempo parar e passar uma hora com cada um deles separadamente. Imagino que muitas noivas sintam o mesmo, e minha experiência foi intensificada pelo fato de que, exatamente uma semana depois, eu embarcaria para Israel a fim de começar uma vida nova. O final de semana foi absolutamente exaustivo para meu marido introvertido, e sempre que o assunto vem à baila ele pergunta em tom de brincadeira: "Eu estava lá em nosso casamento?".

Depois do café da manhã na segunda-feira, Yonah e eu fomos de carro para Monterey, Califórnia, onde meus pais haviam feito reserva para passarmos a semana. No caminho para lá, passamos em uma repartição pública em Sacramento (capital do estado), onde eu precisava autenticar o calhamaço de documentos que havia reunido com muito esforço e que seriam necessários para dar entrada em minha cidadania israelense, processo que nós dois víamos com certa apreensão.

Aproveitamos ao máximo a oportunidade que nossa lua de mel nos deu de desacelerar o ritmo da vida por alguns dias e refletir, propositadamente, sobre o turbilhão de acontecimentos dos últimos meses. Fizemos longas caminhadas pelas praias cheias de rochas e desfrutamos esse breve intervalo entre a correria relacionada ao casamento e a correria que nos esperava em minha mudança para Israel e tudo o que ela acarretaria.

Aquela semana foi um momento precioso no tempo. Comemos incontáveis travessas de peixe frito com batata, rimos ao descobrir um pequeno bufê de sorvetes com várias coberturas, fomos observar baleias (o que deixou a mãe de Yonah um tanto preocupada, pois Yonah é a pronúncia hebraica de Jonas), andamos pelo mercado municipal e fizemos trilhas que passavam pelos deslumbrantes rochedos com vista para o mar na Reserva Florestal Point Lobos.

No final da semana, fomos direto para o aeroporto de San Francisco, onde encontramos meus pais. Eles levaram Dash, meu galgo italiano querido, que iria conosco para Israel. "Não encontre seus pais às pressas no aeroporto", uma amiga minha aconselhou sabiamente. "Separe um tempo para fazer uma refeição com eles antes de se despedirem." Esse era o plano definido e bem-intencionado, mas, no final das contas, graças a inesperados congestionamentos de trânsito e à incerteza a respeito de como faríamos o embarque de Dash, tivemos exatamente quinze minutos de despedidas e abraços apressados antes de nos encaminharmos para nosso portão de embarque.

༄ · ༄ · ༄

"Não devemos, portanto, ter nada em comum com os judeus, pois o Salvador nos mostrou outro caminho", asseverou Constantino no Concílio de Niceia. "Foi declarado especialmente indigno para essa festa, a mais sagrada de todas, seguir o costume dos judeus, que sujaram as mãos com os mais terríveis crimes e cuja mente foi cegada." Esse momento na vida da igreja é conhecido como controvérsia quartodecimana, uma vez que o assunto em discussão era a celebração da Páscoa judaica no décimo quarto dia (em latim, *quarta decima*) de nisã.

Os quartodecimanos favoreciam que a data da Páscoa cristã coincidisse com a celebração da Páscoa da comunidade judaica. Esse era um posicionamento extraordinário, pois basicamente atrelava o calendário cristão ao calendário judaico. Essa ligação se tornou intolerável para a igreja à medida que ela procurou se desvincular do judaísmo, e o Concílio de Niceia cristalizou essa separação.[3]

O que se perdeu com essa decisão foi a ligação intencional que os Evangelhos deixam mais do que clara. O significado e a importância da Semana Santa só podem ser compreendidos de modo pleno quando mantemos no campo de visão a história de Israel. A morte e a ressurreição do Messias seguem o modelo do êxodo de Israel do Egito, o evento formativo do povo judeu. O evento formativo da igreja se dá quando ela é enxertada na aliança perene de Deus com Israel, e Jesus se torna o cordeiro pascal por meio de cujo sangue o povo de Deus é poupado.

Como vimos em outras áreas, a teologia cristã muitas vezes procura categorizar perfeitamente elementos que a teologia judaica não tem problema em deixar em um estado de tensão. Esse contraste também é destacado na distinção que passou a ser feita entre a Páscoa judaica e a Páscoa cristã. Para a igreja, a Sexta-Feira Santa é reservada para a morte, enquanto o Domingo é designado como celebração da vida na ressurreição. Essa organização temporal do culto pode acabar criando uma bifurcação entre vida e morte e, com isso, fazer a asserção ousada (e dualista) de que, quando chega o domingo, a morte não é mais uma força que temos de enfrentar. Somos instruídos a nos apegar à vida e a nos esquecer do poder da morte, pois Jesus deixa a morte para trás de uma vez por todas em seu túmulo vazio. Efetivamente, o aguilhão da morte pode ser relegado aos que se encontram do lado de fora das paredes da igreja. Como vimos no caso de minha aluna Samantha, no capítulo 6, essa mensagem é extremamente desnorteadora e, em última análise, desumanizadora.

Como tantos de nós vivenciamos, a realidade é bem diferente da declaração simples de que a morte foi conquistada pela ressurreição. A morte, em todas as suas formas insidiosas, ainda permeia nossa vida diária. Mesmo depois da gloriosa ressurreição de Jesus, continuamos a lutar com as dimensões inquietantes de nossa humanidade: os traumas que revivemos, as perdas que sofremos, as decepções que acumulamos, as ansiedades pelas quais somos paralisados. E, infelizmente, a igreja pode comunicar a mensagem sutil de que nossa aflição diante dessas lutas bastante reais significa, de algum modo, que nossa fé é inadequada ou que não entendemos corretamente o cerne da mensagem cristã.

A Páscoa judaica, em contrapartida, acolhe o complexo entrelaçamento de vida e morte; de fato, mostra que vida e morte são forças convergentes e entretecidas. Embora, no final, a vida seja triunfante na narrativa de Israel, a tradição judaica nos lembra de que é impossível separar a vida que experimentamos de nossas memórias individuais e coletivas de morte. Na mesa da Páscoa, lembramo-nos da morte do cordeiro, cuja carne e sangue pouparam nossa vida. Expressamos gratidão pela dádiva da liberdade ao mesmo tempo que nossas papilas gustativas nos lembram do amargor residual da escravidão. Regozijamo-nos com a saída do Egito enquanto também nos recordamos de que a terra prometida ainda não é nosso lar. E, o que chama a atenção, atenuamos nossa alegria intencionalmente ao nos lembrar do sofrimento dos egípcios.

O confronto mais ousado do judaísmo com a morte, porém, ocorre em outro dia que a narrativa da Páscoa judaica antevê: o Yom Kippur. No Yom Kippur, o povo judeu se coloca diante de Deus em angústia mortal, usando vestes de sepultamento e, no entanto, com a coragem de crer que Deus está presente e acessível até mesmo na sepultura. Como na Páscoa, não há vida sem morte no Yom Kippur. No fim das contas, percebemos que nem mesmo a vida confere a capacidade de nos esquecermos da morte. As duas se encontram lado a lado, em um paradoxo impossível, e caminhamos dentro da realidade de ambas enquanto aguardamos a redenção final.

A Páscoa judaica e o Yom Kippur são uma lembrança de que não temos como separar de modo perfeito nem ordenar de modo cronológico a vida e a morte. Infelizmente, por ora, temos de nos manter presentes na tensão entre as duas, e é exatamente nesse lugar que encontramos a plenitude do amor de Deus em Cristo, nosso Cordeiro pascal, cujo sangue faz expiação pelo pecado.

Por ironia, a tendência interpretativa subjacente que norteia o culto cristão na Páscoa pode apagar o contexto que nos permite entender o significado da morte e da ressurreição de Jesus. Ao colocar o judaísmo como ponto de contraste, a tradição cristã muitas vezes obscurece a unidade e a coerência da narrativa bíblica em que a aliança de Deus com Israel é, na verdade, o contexto necessário para a obra de Jesus e para a formação da igreja.

Ao aceitar, em vez de esconder, essa tensão, vemos que o cristianismo é, ainda que muitas vezes involuntariamente, proveniente do mesmo tecido que o judaísmo. As bordas esgarçadas só serão restauradas quando forem religadas aos fios há muito perdidos do povo judeu.

Sob essa ótica, a narrativa do evangelho deixa de ser uma aparente condenação do povo judeu e se torna mais uma declaração audaciosa da fidelidade de Deus a seu povo escolhido dentro da aliança. As palavras "que o sangue dele caia sobre nós e sobre nossos filhos!" (Mt 27.25, NVI) não são mais entendidas como uma maldição autoimposta, mas como profecia involuntária do poder redentor da morte de Jesus em relação a seu próprio povo. Dessa perspectiva, o Calvário começa a se parecer muito mais com o Sinai. O véu rasgado traz à memória as tábuas quebradas no Sinai; a morte de Jesus faz lembrar os sacrifícios de Yom Kippur; o mistério do Sábado Santo reflete a intercessão de Moisés no alto do Sinai; a ressurreição de Jesus passa a dizer respeito à aliança renovada ainda mais uma vez, uma declaração do amor leal e infindável de Deus, primeiro aos judeus e também aos gentios (Rm 1.16). Abordada por esse ângulo, a jubilosa declaração "Cristo ressuscitou!" adquire uma profundidade de significado inteiramente nova. O Salvador do mundo é, afinal, o tão esperado Messias de Israel.

༺༻

A luminosidade indistinta, os trechos de conversas de companheiros de viagem, as letras hebraicas semelhantes a rabiscos arredondados nas placas, tudo parecia conhecido, mas, ao mesmo tempo, incrivelmente estranho. Quando desci do avião em Tel Aviv, percebi de modo claro e imediato a diferença entre Israel como lugar que eu visitava e, agora, como meu novo lar. Toda vez que pego um voo para Israel e vejo aquele pequeno avião se movendo no mapa da tela diante de mim, é incômodo observar como o minúsculo Israel fica próximo de todos os grandes estados árabes que, com tanta frequência, aparecem nos noticiários: Irã, Síria, Arábia Saudita. Respirei fundo, e nos encaminhamos para as esteiras de bagagem.

Enquanto aguardávamos nossas seis malas (todos os meus pertences ao começar a vida em Israel) e Dash (que havia passado 24 horas preso em sua caixa de transporte durante a viagem), observei uma mulher ao meu lado que também esperava por sua bagagem. Ela parecia ter 60 e poucos anos e estar viajando sozinha. Comecei a me perguntar se ela estava em Israel para visitar a filha (e netos?). Que distância havia percorrido? Como era ter uma filha que morava tão longe? Quanto tempo ela passaria em Israel e quão frequentes eram suas visitas?

Meu devaneio foi interrompido pela voz de Yonah: "Vamos, amor". Percebi que ele havia pegado toda a nossa bagagem. Com dificuldade, subimos duas escadas rolantes e atravessamos uma passarela até o estacionamento. Respirei fundo novamente, sentindo o ar de um local aberto encher meus pulmões pela primeira vez desde a manhã anterior. Era noite, e meus olhos cansados viam halos enevoados ao redor das luzes dos postes debaixo dos quais passávamos. Depois de uma conversa em hebraico entre Yonah e o funcionário da locadora de automóveis, e depois de vários rearranjos para fazer caber todos os meus pertences na parte da trás da van alugada, Dash se aconchegou em meu colo e começamos o percurso até as colinas de Jerusalém.

11
A ex-esposa de Deus

> Durante a maior parte dos dois últimos milênios, o posicionamento da igreja em relação ao povo judeu se expressou no ensinamento conhecido como supersessionismo, também chamado de teologia da substituição.
>
> R. Kendal Soulen

Era Dia de "Ação de Granukkah" do primeiro ano em que morei em Israel, um ano estranho em que o Hanukkah (que geralmente cai em dezembro e se sobrepõe com o Natal) coincidiu com o Dia de Ação de Graças. Saí para minha corrida matinal, de nosso apartamento no bairro de Talbiyeh, em Jerusalém, morro abaixo em direção aos muros da Cidade Antiga.

Passei pela Primeira Estação, com as lojinhas belamente antiquadas e os cafés charmosos nas calçadas, atravessei a passarela até a estrada para Hebrom e desci para o vale de Hinom (também traduzido, por vezes, por Geena). Dali, fiz uma curva para a trilha estreita que serpenteia pela encosta da colina e se torna plana junto aos muros ocidentais da Cidade Antiga. Corri pelo caminho coberto de grama que ladeia os muros, passando pela antiga cidadela da Torre de Davi e, em seguida, pela Porta de Jafa, antes de virar para a esquerda perto do sofisticado centro comercial Mamilla, com suas lojas de roupas de grife e grande variedade de restaurantes *kosher*, todos voltados para os muros antigos e carregados de história.

Do Mamilla, voltei para nossa vizinhança pela rua Rei Davi, passando pela ACM de Jerusalém à direita e pelo histórico Hotel Rei Davi à esquerda. A cada manhã, eu percorria o mesmo caminho e me maravilhava do fato de que morava em Jerusalém. Perguntava-me: *Como cheguei aqui?*

Embora eu fosse capaz de identificar cada passo ao longo do caminho que tinha me levado para aquela vida naquele lugar, e embora nunca tivesse duvidado da solidez da clareza que tive em Oslo, tudo continuava a parecer inteiramente surreal. As tempestades de areia do deserto, a dicção abrupta da língua hebraica, o fato de meus novos vizinhos geográficos agora serem o Egito e a Jordânia, tudo parecia *muito* estranho.

Como Yonah havia feito por mais de uma década, eu agora estava vivendo na pátria judaica, o único lugar na terra em que os judeus são a maioria da população, e não uma fração minúscula. Desde a primeira viagem a Israel, eu havia percebido que o ritmo da sociedade israelense gira em torno do Shabbat, e as festas judaicas são o esteio do calendário. Embora eu pudesse saborear a riqueza e o significado matizado desses elementos distintivos da vida em Israel, eles também contribuíam para que eu me sentisse profundamente desnorteada.

Para mim, a parte mais extraordinária, o que fazia Israel parecer mais o meu lar, era a união que eu sentia com judeus do mundo inteiro. A bela mulher judia francesa que trabalhava na loja de produtos naturais na esquina; os judeus russos que davam duro na empresa de mudança de Yonah; os sabras que foram testemunhas oculares da Guerra dos Seis Dias e de todos os conflitos militares desde então. De algum modo, em um mundo que judeus são, com tanta frequência, os bodes expiatórios dos males da sociedade, parecia, verdadeiramente, que éramos um só povo.

Eu lecionava na Universidade Azusa Pacific desde o início do doutorado e, quando concluí o curso, também comecei a lecionar no Seminário Fuller. Consegui mudar todas as minhas classes presenciais para a modalidade on-line, e o contraste entre meu ambiente judaico e meu currículo de teologia cristã se tornou ainda mais gritante. O posicionamento da teologia cristã em relação ao povo judeu, que teve início com os pais da igreja, continuou no período medieval e na Reforma protestante e se estende até nossos dias, começou a parecer mais pessoal para mim. Não eram mais conceitos teológicos abstratos; agora, diziam respeito a pessoas que eu via nas ruas, das quais eu comprava frutas e legumes todas as semanas e ao lado das quais eu orava na sinagoga.

De acordo com a narrativa teológica cristã tradicional, essas pessoas — o povo judeu, *meu* povo — haviam sido excluídas do relacionamento de aliança com Deus. E, no entanto, muitos desses judeus tinham uma vida de fervorosa devoção a Deus e oravam todas as sextas-feiras à noite para que Deus aceitasse "a oração de tua nação; fortalece-nos, purifica-nos [...] volta-te para tua nação que proclama tua santidade".[1]

De repente, a separação entre judaísmo e cristianismo pareceu traspassar o meio de meu ser. Percebi que questionar essa linha preocupante e extremamente problemática da teologia cristã precisava ser uma tarefa central de meu trabalho como professora e escritora.

Como já tratamos por diferentes ângulos, nos séculos depois da vinda de Cristo, judaísmo e cristianismo se configuram cada vez mais como duas tradições religiosas mutuamente exclusivas. As duas tradições se desenvolvem de maneiras tais que empurram para as margens os seguidores judeus de Jesus, situados de modo crescente como o meio-termo excluído. Em última análise, a teologia cristã minimiza a aliança de Deus com o povo judeu e seu papel, ainda ativo, na redenção e na consumação da criação que ainda estão se desdobrando.

Essa repisada tendência teológica recebe o nome de supersessionismo, que comunica a ideia de substituir: a comunidade cristã toma o lugar do povo escolhido e redimido de Deus, enquanto o povo de Israel passa a ocupar o segundo plano. O estudo mais abrangente da história e das inadequações teológicas do supersessionismo cristão é o livro de R. Kendall Soulen *The God of Israel and Christian Theology* [O Deus de Israel e a teologia cristã]. Nessa obra, Soulen examina o legado de raízes profundas do supersessionismo cristão ao longo da história e propõe uma mudança paradigmática que procura superar essa estrutura inveterada e destrutiva.

Ele começa o livro com a declaração contundente de que "o Deus de Israel é o firme alicerce e a inescapável e difícil situação da teologia cristã".[2] É o firme alicerce, pois a teologia cristã se desintegra caso não seja construída sobre o Deus de Abraão, Isaque e Jacó, e é a inescapável e difícil situação, pois a teologia cristã mostrou, repetidamente, sua incapacidade de levar em consideração a eleição perene, por Deus, do povo de Israel.

Soulen propõe a expressão "narrativa canônica", que ele define como uma estrutura interpretativa para entender a história relatada ao longo do Antigo Testamento e do Novo Testamento como um todo coerente. Não é o cânon bíblico em si, mas, sim, um conjunto de lentes através das quais a teologia cristã, ao longo da história, leu e entendeu o cânon. Como Soulen descreve, a narrativa canônica do cristianismo é formada em torno dos quatro movimentos dos quais tratamos no capítulo 7: criação, queda, redenção e nova criação.

Assim define Soulen: "No nível mais profundo, o problema da narrativa canônica tradicional é que ela, em sua maior parte, não permite que a identidade de Deus como Deus de Israel dê forma às conclusões teológicas a respeito dos propósitos perenes de Deus para a criação".[3]

De acordo com Soulen:

> Durante a maior parte dos dois últimos milênios, o posicionamento da igreja em relação ao povo judeu se expressou no ensinamento conhecido como supersessionismo, também chamado de teologia da substituição. De acordo com essa doutrina, Deus escolheu o povo de Israel depois da queda de Adão a fim de preparar o mundo para a vinda de Jesus Cristo, o Salvador. Depois que Cristo veio, porém, o papel especial do povo judeu se encerrou e a igreja, o novo Israel, tomou seu lugar. Ao contrário do povo judeu, a igreja é uma comunidade espiritual em que a distinção carnal entre judeus e gentios é superada. Logo, a igreja afirma que a preservação da identidade judaica dentro do novo Israel é, na melhor das hipóteses, algo teologicamente indiferente e, na pior das hipóteses, um pecado mortal. Os próprios judeus não reconheceram Jesus como o Messias prometido e se recusaram a entrar no novo Israel espiritual. Portanto, Deus rejeitou os judeus e os dispersou por toda a terra, onde Deus os preservará até o fim dos tempos.[4]

Em outras palavras, a teologia cristã retrata Israel como ex-esposa de Deus, ligada a Deus pela aliança e (razoavelmente) fiel por um tempo, mas, posteriormente, colocada de lado. Em seguida, Deus faz uma aliança com a igreja, que se torna o âmbito principal para que Deus concretize a plenitude e a redenção da criação. Um perigo importante dessa interpretação raramente é reconhecido pelos cristãos que consciente ou inconscientemente a adotam: se Deus pode anular com tanta facilidade a aliança com Israel, o que garante a fidelidade permanente de Deus a seu novo povo da aliança?

Ao definir o supersessionismo cristão, Soulen faz distinção entre três formas: supersessionismo econômico, em que a igreja substitui Israel não em razão do pecado de Israel, mas porque o papel de Israel consistia em preparar o caminho para a salvação espiritual e universal; supersessionismo punitivo, em que Deus anula sua aliança com Israel em razão da rejeição de Cristo por Israel; e supersessionismo estrutural (que representa o nível mais profundo de supersessionismo), de acordo com o qual Israel (e a aliança de Deus com Israel) é, em última análise, irrelevante na narrativa mais ampla da história da salvação.

Soulen faz um levantamento da teologia cristã ao longo dos séculos e examina o pensamento de importantes arquitetos teológicos (desde Justino Mártir no segundo século até Karl Barth no século 20) cujo trabalho consolida o supersessionismo cristão. Ele conclui que a narrativa canônica tradicional do cristianismo é economicamente supersessionista, pois "retrata o papel do Israel carnal na economia da redenção como uma função basicamente transitória em virtude do ímpeto da vontade salvífica de Deus de espiritualizar e universalizar", e estruturalmente supersessionista, pois, "em sua maior parte, não permite que a identidade de Deus como Deus de Israel dê forma às conclusões teológicas acerca de como as obras de Deus, na condição de Consumador e Redentor, envolvem a criação de maneiras universais e perenes".[5]

Embora o trabalho de Soulen diagnostique e descreva de modo proveitoso o problema do supersessionismo cristão, e embora a solução que ele propõe identifique passos importantes para corrigir o problema, no final de *The God of Israel and Christian Theology* deparamos com um novo dilema. Ao tentar apresentar uma explicação não supersessionista da unidade narrativa da Bíblia cristã, sem querer Soulen reduz imensuravelmente a importância da vida, morte e ressurreição de Jesus.

Soulen apresenta Jesus como aquele que garante a vitória final de Deus sobre os poderes que ameaçam a criação e aquele que aponta para o reinado escatológico de Deus de no futuro. No entanto, nessa obra, Soulen não trata da questão da divindade de Cristo, nem declara, categoricamente, a aplicabilidade e insuperabilidade universais de Cristo.[6] No fim das contas, temos de lidar com esse dilema e com o perigo de cair no outro extremo.

༺ • ༺ • ༺

Agora que Yonah e eu estávamos casados e morávamos no mesmo lugar, começamos a olhar para a frente e imaginar como seria nosso futuro juntos. Nós dois tínhamos mais de 30 anos quando nos conhecemos, e ele estava ansioso para ter filhos. Essa era outra área em que tínhamos um cronograma mental diferente; embora eu certamente desejasse ser mãe, queria esperar um ano depois de nos casarmos para me acostumar com a nova realidade, aprimorar meu conhecimento vergonhosamente básico de hebraico e, se tudo desse certo, obter minha cidadania israelense. Depois de nosso casamento, eu tinha entrado em Israel com um visto de turista, com permanência de três meses, e ainda não havia iniciado o processo para a cidadania. Também tínhamos descoberto que o sistema de saúde só cobria os custos de gestação e parto para cidadãos, um bom argumento para convencer Yonah da sensatez de minha proposta de esperar.

Não obstante, ao que parece, eu precisava ser lembrada mais uma vez de que a vida nem sempre se ajusta a nossos planos tão criteriosamente formulados; Yonah acabou vencendo a discussão sobre quando teríamos um bebê. No caminho de volta para casa depois da aula de hebraico, em uma noite fria de quarta-feira em dezembro, parei na farmácia na rua Ben Yehuda. Eu tinha motivos para suspeitar que algo havia mudado em meu corpo e, entre uma barra de chocolate e um par de meias-calças, acrescentei um teste de gravidez e entreguei os pacotes à atendente do caixa. Olhei para o lado enquanto ela registrava os produtos, paguei apressadamente e fui para casa, sentindo o coração bater acelerado. Eu tinha certeza de que não estava grávida; o teste era só para me tranquilizar.

Aquele foi um inverno especialmente rigoroso em Jerusalém, e Yonah estava trabalhando até tarde. Senti-me paralisada quando o teste começou a marcar duas linhas rosas inconfundíveis. Eu estava grávida. E entrei em pânico.

Liguei para Yonah, que estava começando a descarregar uma mudança do outro lado da cidade. Ouvi, ao fundo, vários outros carregadores que estavam trabalhando com ele.

— Acabeidefazeroteste de gravidezedeupositivo, por que você não está em casa?! — gritei em tom agudo e histérico.

— Que maravilha, *mazel tov*, volto para casa assim que puder.

Desligamos e eu me arrastei para a cama, onde chorei até pegar no sono.

As duas linhas rosas pareciam um ataque ao minúsculo vestígio de controle que restava em minha vida. Eu havia enfrentado bravamente uma série estonteante de mudanças e transições, e tinha me apegado à ideia de que poderia decidir quando acrescentar mais uma mudança. Estava começando a me acostumar com a novidade da vida de casada em Israel, e ter um bebê parecia simplesmente além da conta.

Também tinha plena consciência de que nosso bebê seria um sabra e, portanto, supostamente, viria ao mundo com uma espécie de ligação inata à terra e ao povo de Israel que eu só havia começado a cultivar na vida adulta. *L'dor v'dor*, "de geração em geração"; talvez para meu filho, a identidade judaica e a fé no Messias pareceriam a combinação mais natural do mundo.

Não demorou muito para que começassem os enjoos matinais e eu passasse cada vez mais tempo em nosso futon cinza. Olhando pelas janelas do apartamento no quarto andar, memorizei perfeitamente os contornos do topo dos ciprestes italianos que ondulavam ao vento de forma calmante e hipnótica. Tentei (com graus variáveis de sucesso) me concentrar em meu trabalho, acolher essa nova época da vida e não me preocupar demais com o fato de que estava grávida e ainda não tinha a cidadania israelense.

෴·෴·෴

Apesar da insuficiência do retrato que Soulen apresenta de Cristo, sua teologia aponta para uma perspectiva de Israel e das nações que, em razão da obra de Cristo, ajuda a superar a teologia cristã da substituição. Soulen considera a "economia da bênção mútua" entre Israel e as nações fundamental para a obra de Deus no mundo e parte constituinte dessa obra.

Essa estrutura nos permite mudar a narrativa: em vez de Deus abandonar Israel a fim de fazer uma aliança com a igreja, a aliança de Deus com Israel *se expande para incluir a igreja*. A substituição dá lugar, portanto, à inclusão. Uma interpretação não supersessionista de Romanos 11 indica que é exatamente isso que acontece por meio de Cristo; os gentios são "enxertados" na aliança de Deus com Israel, uma aliança perene, ainda em vigor. Em vez de a igreja substituir Israel como povo de Deus e como portadora de uma comissão divina singular, os seguidores gentios de Cristo são, na linguagem de Paulo, enxertados na missão e na atividade redentora de Israel.

Soulen não é o único que aponta nessa direção; ele é acompanhado de uma série de pensadores cristãos pós-Holocausto que veem a relação entre Israel e a igreja dessa forma. Além disso, à medida que estudiosos judeus reconsideram cada vez mais as asserções centrais do cristianismo, um desdobramento notável é que até mesmo os teólogos judeus começam a ver o cristianismo por essa perspectiva.

Franz Rosenzweig prefigura esse desdobramento teológico no mundo judaico. Rosenzweig viveu e escreveu antes do Holocausto, e seu pensamento preparou o caminho para a reflexão judaica de anos posteriores. Em sua obra-prima *A estrela da redenção*, Rosenzweig considera que o judaísmo e o cristianismo têm vocações complementares, cada um contribuindo de formas singulares, mas colaborativas, para a redenção e a consumação. Nenhum deles está completo sem o outro, mas os elementos distintivos de suas comissões permanecem.

A imagem que Rosenzweig apresenta é de uma estrela celestial. Nela, o povo judeu representa o núcleo incandescente da estrela, e o cristianismo representa os raios de luz que ela emite, fazendo com que a luminosidade e o calor da estrela cheguem ao que está ao seu redor. Para Rosenzweig, o judaísmo caracteriza a revelação divina em sua mais pura forma, enquanto o cristianismo efetua a propagação dessa revelação. Logo, a tarefa central do judaísmo consiste em manter e cultivar sua vida interior e sua ligação com Deus, e a tarefa principal do cristianismo consiste em levar a revelação divina aos confins da terra.

Para Rosenzweig, a obediência aos mandamentos é o meio pelo qual o povo judeu põe em prática essa vocação redentora. Sem a Torá, a eleição do povo judeu é ineficaz, e sua vocação é inalcançável. Portanto, Rosenzweig afirma que há uma forte ligação entre Israel e a Torá, outra ligação central que, muitas vezes, passa despercebida na reflexão cristã. A vocação do cristianismo, em contrapartida, é necessariamente missionária; cabe ao cristão dar testemunho da revelação de Cristo, levar essa mensagem a todas as nações e traduzi-la para todas as línguas.

As vocações complementares do judaísmo e do cristianismo ajudam uma à outra a não sucumbir a um conjunto de perigos e tentações perpétuos. A existência física do povo de Israel evita que o cristianismo espiritualize Deus e construa um conceito dualista de vida na aliança. E o cristianismo, com sua vocação missionária, evita que o judaísmo se recolha em sua aconchegante aliança com Deus e desconsidere as nações e o convite que receberam para ingressar nessa aliança.

A inclusão dos gentios na aliança de Deus com Israel é ilustrada vividamente em Efésios 2.11-22, que desdobra exatamente esse conceito de forma extraordinária. A passagem diz:

> Portanto, tenham em mente que, outrora, vocês, gentios na carne, eram chamados "incircuncisão" por aqueles chamados "circuncisão" (realizada na carne por mãos humanas). Naquele tempo, vocês estavam separados do Messias, excluídos da comunidade de Israel e alienados das alianças da promessa; não tinham esperança e estavam sem Deus no mundo.
>
> Agora, porém, no Messias Yeshua, vocês que outrora estavam distantes foram trazidos para perto pelo sangue do Messias. Pois ele é nossa paz, aquele que de dois fez um e que derrubou o muro de separação. Em sua carne, ele tornou impotente a hostilidade instigada pelo código legal de *mitzvot* contido nas ordenanças. Ele realizou essa obra a fim de criar dentro de si um novo homem a partir de dois grupos, fazendo as pazes, e a fim de reconciliar ambos com Deus em um só corpo pela cruz, por meio da qual ele pôs fim à hostilidade. E ele veio e proclamou a paz a vocês que estavam longe e paz aos que estavam perto, pois, por meio dele, ambos temos acesso ao Pai pelo mesmo Espírito.
>
> Portanto, vocês não são mais estrangeiros e forasteiros, mas concidadãos do povo de Deus e membros da família de Deus. Foram edificados sobre o alicerce constituído dos emissários e dos profetas, e o próprio Messias Yeshua é a pedra angular. Nele, todo o edifício, firmemente unido, está se transformando em um templo sagrado para o Senhor. Nele, vocês também estão sendo edificados como parte do lugar de habitação de Deus no Espírito.[7]

Como conclui um estudioso do Novo Testamento: "Efésios tem como mensagem distintiva o fato de que nenhum gentio pode ter comunhão com Cristo ou com Deus sem ter comunhão, também, com Israel".[8] Como na metáfora da estrela de Rosenzweig, os raios não podem existir sem o cerne incandescente da estrela. A própria vida da igreja é construída sobre a aliança de Israel com Deus, na qual os gentios ingressam por meio da obra de Cristo e da dádiva do Espírito.

༄ · ༄ · ༄

Como se o desnorteamento de ser recém-casada-agora- -grávida-mas-não-cidadã-de-Israel não fosse intenso o suficiente, a próxima coisa que tínhamos de fazer era providenciar minha naturalização. Embora eu seja judia por parte de pai e mãe, foi como se eu ainda tivesse de passar por meu próprio processo de "enxerto" no povo israelense. Tornou-se bastante difícil para judeus messiânicos receber a cidadania israelense, pois, para o estado de Israel, a crença em Jesus corresponde a adesão a uma religião diferente, o que anula o direito à volta. É uma prática incoerente e discriminadora, que chegou ao Supremo Tribunal Israelense em mais de uma ocasião, mas que ainda persiste.

Depois que Yonah e eu tínhamos ficado noivos no verão anterior, consultamos um advogado que pareceu duvidar da possibilidade de eu obter a cidadania. Ele nos advertiu que, se descobrissem alguma coisa, também poderiam tirar a cidadania de Yonah. (O advogado fez uma busca por meu nome no Google durante a reunião e riu alto quando viu os resultados na tela do computador. "Você nunca vai conseguir cidadania como judia", ele declarou categoricamente.)

Com grande esforço, eu havia reunido uma pilha de documentos que comprovavam minha identidade judaica e, em 23 de janeiro, apresentei esses documentos ao Ministério do Interior para dar início ao processo de obtenção da cidadania. Depois de 25 minutos sentados em uma sala de espera lotada, cercados de uma amostra impressionante da diversidade populacional de Israel, ouvimos nossa senha ser chamada. Levantamo-nos, fomos até o guichê seis e nos sentamos novamente em duas cadeiras diante de uma mulher separada de nós por um vidro. De minha perspectiva, meu futuro estava em suas mãos.

Em menos de um minuto ela folheou a pasta cheia de documentos cuidadosamente organizados que eu tinha trazido, selecionou três páginas avulsas a serem encaminhadas para a Agência Judaica para uma avaliação detalhada, devolveu-nos a pasta e nos instruiu a fazer um agendamento para ver como estava o processo em seis a oito semanas.

Em 22 de março, cheios de ansiedade, voltamos ao Ministério do Interior. Se tudo havia corrido bem na Agência Judaica, concluímos que ficaríamos sabendo naquele dia que meu pedido de cidadania seria atendido. Caso essa não fosse a notícia que nos aguardava, suspeitávamos que teríamos diante de nós mais dificuldades e um possível processo legal. Mais uma vez, a reunião em si durou apenas alguns minutos.

— A Agência Judaica ainda não nos devolveu seus documentos — disse em voz monótona a mulher do outro lado do vidro. — Volte em quatro semanas.

Eu havia sido informada de que não poderia sair do país enquanto o processo de cidadania estivesse em andamento e, portanto, perguntei apressadamente, depois que a mulher já havia chamado a próxima senha:

— Tenho uma viagem marcada para daqui duas semanas. Tem problema eu sair do país?

— Não — ela respondeu. — O sistema de dados do aeroporto mostrará que seu pedido de cidadania está sendo avaliado.

Eu tinha me comprometido a lecionar alguns cursos nos Estados Unidos em abril, e orei para que fosse válida a garantia dada com tanta indiferença por aquela mulher.

Algumas semanas depois, fomos ao aeroporto onde eu embarcaria para os Estados Unidos pela primeira vez desde que tinha vindo para Israel no outono anterior, que mais parecia séculos atrás. Estava ansiosa para passar duas semanas lecionando no Colorado, mas especialmente para encontrar Yonah em Tahoe e passar tempo com minha família depois disso.

Na realidade, o sistema de dados do aeroporto não tinha nenhum registro de meu processo de cidadania e só mostrava que eu estava no país havia quatro meses, com um visto vencido de turista. Meu lado israelense aflorou e insisti com a funcionária da polícia federal e, depois de um diálogo tenso de quinze minutos, ela relutantemente permitiu que eu prosseguisse para o portão de embarque. Minha preocupação passou a ser, então, com as implicações dessa situação quando eu tentasse entrar em Israel novamente no mês seguinte.

Aproveitei que estava nos Estados Unidos para mudar formalmente meu sobrenome e paguei uma taxa adicional para que o passaporte com meu nome de casada ficasse pronto antes de eu voltar para Israel. Quando passei pela imigração ao entrar novamente em Israel, apresentei meu passaporte novo.

— É a primeira vez que você vem a Israel? — o funcionário perguntou enquanto abria meu passaporte em uma das muitas páginas em branco.

— Não. Na verdade, eu moro aqui, mas adotei oficialmente o sobrenome do meu marido enquanto estava fora. Você quer meu passaporte anterior? — Senti o peito apertar de ansiedade enquanto eu aguardava uma resposta.

— Não precisa. Bem-vinda de volta a Israel — ele respondeu, carimbando o passaporte novo e indicando para eu prosseguir até as esteiras de bagagem.

Em 14 de junho, Yonah e eu voltamos ao Ministério do Interior. Quando chamaram nossa senha, caminhamos lentamente para o guichê quatro e nos sentamos em silêncio infausto. A funcionária, que ainda nem havia olhado para nós, mexeu em algumas pastas do arquivo, colocou vários documentos sobre a mesa e fez algumas anotações ilegíveis aqui e ali. Em seguida, passou uma folha de papel por debaixo do vidro e disse:

— Assine aqui para aceitar sua cidadania israelense.

Yonah e eu trocamos olhares pasmos. Assinei o papel, e a funcionário nos instruiu a ir ao terceiro andar. Depois de aguardarmos na área de espera de outra sala ampla, chamaram nosso número. Dessa vez, o funcionário atrás da divisória de vidro me entregou, sem a menor cerimônia, minha *teudat zahut* (carteira de identidade israelense), e obtive minha cidadania em caráter definitivo. Embora eu ainda sentisse agudamente a realidade de que fazia parte do meio-termo excluído, minha condição de cidadã do Estado de Israel me deu maior sensação de que fazia parte do povo judeu.

Yonah e eu comemoramos em uma padaria da vizinhança, relembrando empolgadamente a montanha-russa de acontecimentos que havia começado com a consulta ao advogado dez meses antes e que agora, para nosso espanto, havia chegado ao fim. Esse marco foi um momento de grande importância em meu trabalho pessoal de promover a reconciliação do judaísmo e do cristianismo e em minha luta contínua para ser seguidora do Messias e, ao mesmo tempo, parte da casa de Israel, agora morando na terra natal do Messias e de seu povo.

12
Paulo

> No tocante aos estudos acadêmicos paulinos, provavelmente não é exagero propor que a relação de Paulo com o judaísmo dá forma às mais importantes discussões do século 20.
>
> MAGNUS ZETTERHOLM

Durante o ano em que Yonah e eu namoramos à distância, fui convidada para dar um curso intensivo de uma semana em Colorado Springs para membros da equipe da organização Young Life. Algumas semanas depois, o diretor do programa entrou em contato comigo e perguntou se eu teria disponibilidade para dar o mesmo curso no ano seguinte.

Embora, na época, meu futuro já fosse bastante incerto, comecei a planejar trabalhos em sequência em Colorado que eu pudesse realizar remotamente, onde quer que eu estivesse morando. O que eu não sabia era que estava me comprometendo com oitenta horas de aula a serem ministradas em duas semanas, no sexto mês de gestação. Como dizem, a ignorância às vezes é mesmo uma bênção.

Mal havia passado o enjoo matinal e eu estava embarcando para os Estados Unidos, precedida sempre da barriga cada vez maior. Depois de um fim de semana com meus pais na Califórnia, encaminhei-me para o Colorado. Foi um período de ensino extremamente significativo e, ao mesmo tempo, uma pausa mais que necessária para retiro e reflexão pessoais. Minha estadia no Colorado foi profundamente restauradora e me colocou, mais uma vez, em contato com partes de minha vida que haviam começado a parecer distantes ou dormentes. Os dias longos eram cheios de aulas em salas de verdade, com alunos de carne e osso, e não apenas a tela do computador e eu.

A cada manhã, caminhava junto ao riacho Monument, na trilha do monte Pike, aproveitando o sol de primavera e observando a água que borbulhava pelo leito pedregoso do riacho. Depois das aulas, eu andava pelas ruas charmosas do centro de Colorado Springs e ia, diariamente, a restaurantes americanos cujos cardápios, que não tinham nada de extraordinário, atendiam a meus desejos e aversões de gestante como nenhum restaurante era capaz de fazer em Jerusalém. Desejos de grávida combinados com choque cultural formam uma combinação interessante, e por vários meses a maioria dos aromas e sabores da cozinha israelense trazia de volta a náusea.

À medida que o curso avançava, o material apresentado representava um desafio indireto à forma como os membros da equipe da Young Life costumavam pregar o evangelho, e muitas das perguntas que fiz durante os primeiros dias do curso giravam em torno das cartas de Paulo. Da perspectiva de muitos de meus alunos, Paulo parecia contradizer as asserções que eu estava fazendo e que sustentavam toda a estrutura teológica que eu estava defendendo.

Ao olhar pela janela da suíte em que haviam me colocado durante minha semana de estadia (um espaço que, sem dúvida, geralmente hospedava ou uma família grande, ou doze adultos solteiros), eu percebi que precisava colocar de lado o material que havia planejado para o dia seguinte e passar pelo menos algumas horas estudando Paulo em maior profundidade. Exausta depois de um dia inteiro de aulas, abri o notebook e fiquei surpresa de descobrir forças renovadas ao preparar um esboço do zero e uma nova apresentação no PowerPoint.

Na manhã seguinte, quando entrei no auditório onde eu estava lecionando, as várias conversas habituais dos alunos antes da aula foram substituídas por um silêncio de acanhamento. Pouco depois, entendi o que estava acontecendo. O humor e a perspicácia que caracterizam indelevelmente o pessoal da organização Young Life tinham atacado outra vez; alguns alunos haviam assaltado os armários de adereços do grupo de teatro, e um leão da montanha empalhado que se encontrava (estranhamente?) colocado do lado direito do palco vestia um *tallit* improvisado e *peyos*.[1] Os alunos não sabiam ao certo como eu reagiria a essa brincadeira mais recente. Soltaram um suspiro geral de alívio quando viram um sorriso se abrir em meu rosto, riram comigo e tiraram fotos da barriguda professora Jen junto com sua recém-criada mascote judaica. Considerei uma forma de sucesso que esses elementos comuns da identidade judaica agora fizessem parte do vocabulário de meus alunos cristãos.

༄ • ༄ • ༄

A interpretação "tradicional" de Paulo tem sido questionada em anos recentes. Esse questionamento foi motivado, em grande medida, por acontecimentos importantes do século 20 que levaram os cristãos a reconsiderar o que nossa Bíblia diz acerca do povo judeu e da aliança perene de Deus com ele.² Pelo menos desde a Reforma, as cartas de Paulo têm oferecido um ponto de referência natural para enunciar as diferenças gritantes entre o judaísmo e o cristianismo, entre a "lei" e o "evangelho".

Cem anos atrás, era praticamente tido por certo que Paulo havia abandonado o judaísmo e fundado uma nova religião chamada cristianismo. Durante boa parte da história do cristianismo desde sua separação do judaísmo, a estrutura Paulo *versus* judaísmo era basicamente pressuposta. Martinho Lutero articulou essa interpretação com veemência e a contextualizou de uma forma que manteve força tremenda nos séculos posteriores.

Depois do Holocausto e da fundação do estado moderno de Israel (acontecimentos que colocaram o povo judeu no centro do palco da história), estudiosos de Paulo começaram a reavaliar o posicionamento do apóstolo em relação a conceitos teológicos fundamentais. Uma revisão importante ocorreu sob o título de "nomismo pactual", uma nova categoria para abordar a perspectiva paulina da Torá.

Antes de entrar nos detalhes dessa importante revisão da teologia e interpretação paulinas, precisamos entender um ponto-chave relacionado a linguagem e tradução. O termo *Torá*, em hebraico, significa "ensino" e tem uma gama variável de referentes. De modo mais específico, a Torá consiste nos cinco primeiros livros de nosso Antigo Testamento, chamados, com frequência, Pentateuco ou Livros de Moisés.

No entanto, o termo Torá tem uma abrangência semântica muito mais ampla; também pode significar ensino bíblico de modo geral, e no judaísmo é aplicado ao ensino de sábios rabínicos posteriores e a sua interpretação de como os mandamentos bíblicos são praticados. Ainda hoje, os ensinamentos dos rabinos sobre o Shabbat muitas vezes são chamados "palavras da Torá".

Essa observação importante mostra que, no judaísmo, toda a história da interpretação do texto bíblico norteia a prática moderna. A tradição judaica reconhece, de longa data, que não podemos pôr em prática objetivamente as prescrições da Bíblia sem interpretação e aplicação adicionais.

Por exemplo, o que significa nos lembrarmos de "guardar o sábado, fazendo dele um dia santo", conforme a instrução de Êxodo 20.8? Como podemos, na prática, fazer "franjas nas bainhas da roupa", de acordo com a ordem de Deus aos israelitas em Números 15.38? E como amarrar essas palavras "às mãos [...] como lembrança" e escrevê-las "nos batentes das portas de [...] casa", conforme Deuteronômio 6.8-9?

A atenção que o judaísmo dá a esses detalhes revela sua altíssima consideração pelas Escrituras e pela implementação das prescrições de Deus para a vida santa. Para os judeus, não são pormenores sem sentido; antes, formam a espinha dorsal da fidelidade e da obediência a Deus.

Os rabinos e sábios tomaram sobre si a tarefa monumental de formular argumentações e entabular discussões sobre o que significa ser fiel aos mandamentos de Deus e, por meio dessas discussões (muitas das quais foram posteriormente codificadas nos escritos rabínicos, como o Talmude), fornecer um mapa de como os judeus podem viver fielmente dentro da aliança que Deus fez com eles.

Tudo isso se encontra sob o bojo daquilo que os judeus querem dizer quando usam a palavra Torá. Quando esse termo foi traduzido para o grego (a principal língua do Novo Testamento), a palavra usada foi *nomos*, que quer dizer "lei".

Muitas das nuanças e da riqueza daquilo que a Torá significa e representa se perderam na tradução, e camadas sucessivas de significados negativos foram, gradativamente, sendo colocadas sobre a "lei", especialmente quanto a sua natureza como esteio da vida e da fé judaicas.

Que relação há entre tudo isso e Paulo? A perspectiva tradicional a respeito de Paulo pressupõe que a principal queixa de Paulo contra o judaísmo fosse sua crença fundamental de que se obtém favor de Deus ao agir retamente, um conceito chamado, em geral, "obras de justiça". O judaísmo era visto como uma religião feita de ações exteriores corretas especificadas na Torá, enquanto se entendia que o cristianismo se baseava somente na fé a na graça (dois dos principais lemas da Reforma). Em resumo, acreditava-se que a ênfase central do judaísmo contrastasse nitidamente com as asserções fundamentais do cristianismo e que Paulo tivesse defendido este último e desconstruído o primeiro.

Estudiosos da "nova perspectiva de Paulo" (como E. P. Sanders e James Dunn) começaram a mostrar que esse é um conceito seriamente equivocado do judaísmo, o que inclui o judaísmo do segundo templo da época de Jesus. Esses estudiosos perceberam, cada vez mais, que a aliança de Deus com o povo de Israel na verdade se apoia no mesmo alicerce que a aliança instituída por Cristo.

Deus forma uma aliança com um povo imperfeito, que falha com frequência; então, à luz da graça e do favor demonstrados a esse povo da aliança, Deus o chama a viver de determinada forma como seu povo escolhido. Os estudiosos da nova perspectiva perceberam que essa sequência básica se aplica às narrativas fundamentais e ao entendimento próprio do cristianismo *e* do judaísmo.

Dessa ideia vem a expressão "nomismo pactual", segundo a qual a observância da Torá (*nomos*) se encontra dentro dos limites de uma estrutura de aliança já definida. A obediência humana não é a base para a aliança, nem para ingressar no relacionamento que ela estabelece. Também não é a salvaguarda mais importante da aliança, nem o principal meio pelo qual ela permanece. A aliança é estabelecida por Deus, que busca se relacionar com seu povo, e esse povo é chamado, então, para uma vida de obediência em resposta a sua condição de povo de Deus.

De acordo com a nova perspectiva, o que está em questão para Paulo não é se as "obras da lei" tornam a pessoa merecedora do favor de Deus (como se vê no retrato equivocado do judaísmo associado a "obras de justiça"), mas o fato de que práticas judaicas específicas são como uma cerca que separa judeus e gentios, pois os judeus haviam sempre se considerado o povo exclusivo de Deus.

Se Paulo imaginava uma comunidade de judeus e gentios que seguiam a Jesus juntos (embora não de maneiras idênticas), é de importância máxima que não haja nenhuma hierarquia e nenhuma suposta estratificação dentro dessa comunidade constituída de duas partes. Suas admoestações acerca das "obras da lei" (como em Gl 2.16, ARC) não impedem judeus seguidores de Jesus de observar a Torá; antes, questionam a ideia arraigada de particularismo judaico segundo a qual a vida da Torá separa os judeus como os únicos que desfrutam um relacionamento de aliança com Deus. Portanto, através da lente da nova perspectiva, o interesse maior de Paulo não era declarar a Torá inválida, mas, sim, enfatizar a unidade em Cristo de judeus e gentios.

"Pessoal, ore por meu marido", eu disse a meus alunos no início da aula da manhã. Enquanto eu atendia a todos os meus desejos de grávida e me empanturrava em visitas diárias ao Starbucks e a restaurantes de comida mexicana para compensar pelos dias difíceis em que o choque cultural havia se combinado com a náusea matinal, em nossa casa a sanidade de Yonah corria sério perigo.

Em uma semana, desde que eu tinha viajado, ele havia começado um incêndio na torradeira, passado a noite inteira instalando telas nas janelas quando uma nuvem de mosquitos tomou conta de Jerusalém e embarcado na impossível missão de decodificar os símbolos misteriosos de nossa máquina de lavar europeia, pois havia sido obrigado a lavar as próprias roupas sozinho pela primeira vez, em meio a sua implacável agenda de trabalho.

Uma tarde, sentada em um banco no Parque Acácia, liguei para ele enquanto tomava um sorvete. Minhas alegres interjeições sobre como estava sendo maravilhoso o tempo no Colorado foram recebidas com exaustão áspera e mal--humorada no meio da noite. Ele estava reconsiderando a viabilidade de nosso plano (que, como nós dois havíamos concluído, tinha tudo para funcionar tão bem) e só queria deixar claro que nunca mais concordaria com esse arranjo. "Está bem, amor. Tente descansar", aconselhei, pronta para desligar e voltar a minha bolha de felicidade. Afinal, era quase hora do jantar e eu já havia resolvido que voltaria ao restaurante que tinha uma pizza maravilhosa com pimenta--jalapenho na cobertura.

Depois que concluí os trabalhos no Colorado, os dias de solteiro de Yonah felizmente chegaram ao fim, e ele foi se encontrar comigo para ficarmos mais duas semanas nos Estados Unidos. Passamos um final de semana, só nós dois, em um hotel histórico de Denver e, de lá, fomos para o lago Tahoe visitar minha família. Chegamos à casa de meus pais a tempo para o jantar de Dia das Mães, um momento terno e emocionante de uma forma inteiramente nova, agora que eu estava prestes a me tornar mãe.

Durante nossa estadia em Tahoe, as duas melhores amigas de minha mãe organizaram o chá de bebê mais deslumbrante da história da humanidade. Eu queria poder guardar a riqueza toda e levá-la comigo para Israel: os aperitivos extravagantes, as sobremesas caseiras e as palavras de incentivo e força de pessoas que me conheciam desde a infância.

Uma vez que havíamos comprado passagens separadamente, Yonah voltou para Israel e eu fui a Los Angeles revisitar minha vida ali por alguns dias preciosos. A alegria transbordante de passar tempo com minhas amigas chegadas (duas delas também estavam grávidas) foi o final perfeito para meu tempo nos Estados Unidos. Fomos a todos os meus restaurantes prediletos em Passadena, rimos da quantidade interminável de *frozen yogurt* que consumimos no bufê e colocamos em dia as conversas sobre casamento, carreira e enjoos matinais. Enquanto eu aproveitava ao máximo o prazer de minha antiga vida e de minha rede de apoio, também tinha vívido na memória o fato de que Yonah não estava comigo e de que, agora, meu lar era junto dele, em Israel.

Estava vivenciando minha própria "nova perspectiva" pessoal, não de Paulo, mas de mim mesma. Percebi com intensidade lancinante que jamais poderia voltar para a familiaridade atraente de minha vida antes de Yonah em Pasadena; meu centro de gravidade havia mudado, tanto no aspecto relacional quanto no aspecto geográfico. Yonah e eu tivemos de lidar, mais uma vez, com as dez horas de diferença de um país para outro e, enquanto conversámos por telefone certa manhã, pouco antes de eu sair para tomar café com Amy, ele disse: "Sinto falta de dividir um lar com você". Eu sentia exatamente o mesmo.

⌒·⌒·⌒

A nova perspectiva de Paulo é, na verdade, uma porção de novas perspectivas, cada uma com seus contornos singulares e seus desafios à interpretação tradicional de Paulo *versus* o judaísmo. Embora não possamos subestimar a importância desses estudiosos pioneiros, hoje seu papel é mais de mediação entre a perspectiva tradicional e as interpretações mais radicalmente revisadas de Paulo.

Enquanto os estudiosos da nova perspectiva questionaram a estrutura que norteia a visão tradicional de Paulo, surgiu em tempos mais recentes um grupo de acadêmicos que levou esses questionamentos ainda mais longe. Esse modo de estudo paulino, chamado inicialmente de "nova perspectiva radical", agora é conhecido como a escola de interpretação de "Paulo dentro do judaísmo". Alguns dos principais estudiosos desse grupo são Mark Nanos, Paula Frederiksen e Anders Runesson.

Esses estudiosos destacam que, mesmo através da lente da nova perspectiva, Paulo é desinvestido de importantes características identificadoras judaicas. Paulo continua a demonstrar, em geral, uma atitude negativa em relação à Torá, e em muitos casos o termo Israel é usado para se referir a judeus e gentios unidos em uma espécie de "terceira raça".

Um dos principais objetivos dos estudiosos de "Paulo dentro do judaísmo" é tentar voltar na história e interpretar Paulo sem ser influenciados por pensadores como Agostinho (que formulou definitivamente os conceitos de queda e pecado original) e Lutero (que projetou seu antagonismo à Igreja Católica sobre a relação de Paulo com o judaísmo).

Ao desvincular Paulo desses teólogos cristãos posteriores, é possível preparar o caminho para interpretar suas cartas (e conceitos importantes dentro delas) a partir de uma perspectiva inteiramente diferente. Para esses estudiosos, até mesmo a ideia de particularismo judaico, da qual trataram os estudiosos da nova perspectiva, revela a influência de desdobramentos históricos posteriores. Afinal, o cristianismo não é, no mínimo, tão particularista quanto o judaísmo? De acordo com as interpretações tradicionais de Paulo, acaso ele não divide o mundo inteiro entre aqueles que seguem Jesus e aqueles que não o seguem e, portanto, cria um novo tipo de hierarquia espiritual?

Os estudiosos de "Paulo dentro do judaísmo" procuram criar uma estrutura conceitual em que o judaísmo não seja visto como "o outro" em relação ao cristianismo (e, com frequência, o outro inferior, falho e imperfeito). E se não era intenção de Paulo ressaltar as deficiências do judaísmo? E se ele próprio vivia como judeu dedicado, que observou a Torá até o dia de sua morte? E se a tônica de seus escritos consiste em mostrar de que maneira os gentios são agora, por meio de Cristo e da dádiva do Espírito, unidos ao povo de Israel sem se tornar judeus?

Interpretar Paulo a partir dessa perspectiva gera um novo conjunto de perguntas a respeito das quais temos de refletir. Primeiro, a questão do público de Paulo passa a ocupar lugar central na discussão. Gerações anteriores de estudiosos de Paulo tomaram por certo que ele escreveu suas cartas para judeus e gentios, tornando difícil nuançar em qualquer sentido suas declarações negativas com respeito à "lei". Estudiosos de "Paulo dentro do judaísmo" propõem que o público de Paulo (em conformidade com At 18.6 e Gl 2.9) era constituído *principalmente de gentios*. Se esse é o caso, ele está apenas dissuadindo os gentios da ideia de que precisam adotar práticas judaicas a fim de ser seguidores de Jesus. Procura, fervorosamente, lhes mostrar que Cristo e o Espírito criaram uma forma de eles serem adotados como parte do povo de Deus *na condição de gentios*.

Segundo, essa linha de estudos de Paulo se opõe à ideia de que ele observava a Torá quando estava com judeus e desconsiderava essas práticas quando estava entre gentios. Se fosse o caso, a relação de Paulo com a Torá seria instrumental em vez de ser intrínseca; ele apenas observava a Torá perto de judeus para "ganhá-los". Esse posicionamento enfraquece o verdadeiro compromisso de Paulo com a prática judaica como questão de fidelidade diante de Deus e torna esse compromisso mera questão de conveniência missionária. A linha de "Paulo dentro do judaísmo" o imagina inteira e constantemente judeu, comprometido com a prática judaica em toda e qualquer situação.

Terceiro, a estrutura de "Paulo dentro do judaísmo" rejeita cabalmente qualquer ideia de cristianismo como "terceira raça", nem judaica, nem gentílica, mas uma espécie de categoria inédita imaginada no Novo Testamento. A teologia da "terceira raça" apaga a distinção entre judeus e gentios e propõe que a comunidade de seguidores de Cristo é definida, acima de tudo, pela ética cristã, relativizando assim qualquer tipo de distinção étnica. Estudiosos que seguem a linha de "Paulo dentro do judaísmo" diriam que as distinções étnicas permanecem (embora qualquer hierarquia associada a elas seja poderosamente superada pela obra de Cristo) e que elas se refletem hoje na comunidade de seguidores de Cristo.[3]

Quarto, a linha de "Paulo dentro do judaísmo" procura resgatar Paulo das garras da teologia cristã normativa e do longo e complexo caminho para a ortodoxia cristã. Essa característica é intimamente associada ao fato de que muitos dos estudiosos dessa linha são judeus, e não cristãos. Não se diz que "Paulo dentro do judaísmo" é a única opção objetiva e imparcial, mas, sim, que sua parcialidade expressamente *não* corresponde aos interesses da teologia cristã tradicional.

O conjunto completo de escritos paulinos parece diferente quando considerado da perspectiva de "Paulo dentro do judaísmo", e essa interpretação tem implicações importantes para as relações contemporâneas entre judeus e cristãos. Como vimos no capítulo 2, para o teólogo judeu David Novak, judaísmo e cristianismo são, de todo, mutuamente exclusivos; em suas palavras, "as asserções doutrinárias supremas do judaísmo e do cristianismo são não apenas diferentes, mas também mutuamente exclusivas. [...] É impossível ser judeu e cristão ao mesmo tempo". De acordo com essa estrutura, "A mais elevada forma de culto ao Senhor Deus de Israel é *ou* pela Torá e pela tradição do povo judeu *ou* por Cristo e pela tradição da igreja".[4] Não pode ser ambas as coisas.

A avaliação de Novak se baseia, em grande medida, na separação entre judaísmo e cristianismo e em suas consequências. Se projetamos esses desdobramentos na teologia de Paulo (como faz a perspectiva tradicional), ele se torna, com efeito, o fundador desse arranjo mutuamente exclusivo. Ele abandonou o judaísmo e adotou o cristianismo, e suas cartas deixam um registro de como e por que ele o fez.

No entanto, se Paulo nunca abandonou o judaísmo, se judaísmo e cristianismo como os conhecemos só passaram a existir como tradições separadas séculos depois, as asserções se Novak se tornam questionáveis. A linha de "Paulo dentro do judaísmo" contribui de forma considerável para uma reavaliação em grande escala que está ocorrendo em nosso tempo entre judeus e cristãos.

O dia em que tratei desses conceitos com meus alunos da organização Young Life foi o mais animado de todo o curso. Embora os alunos tenham se mostrado bastante interessados em todas as aulas e ansiosos para participar das discussões, nossas conversas em torno desse conteúdo foram especialmente intensas, e os alunos perceberam, instintivamente, quanta coisa estava em jogo. Dava quase para ver as engrenagens girando no cérebro deles. Como é pregar um cristianismo que não tem o judaísmo, obrigatoriamente, como seu contraste negativo? Quem sabe o judaísmo tem algo a nos ensinar sobre o discipulado cristão? Como entender a rejeição de Cristo pelos judeus?

Ao formular essas perguntas, eles expressaram algumas das questões teológicas mais prementes de nossa era. Suas indagações chegaram ao âmago do evangelho em si. O exercício de repensar a mensagem de Paulo nos leva a repensar, também, a mensagem que nós proclamamos: se Paulo não abandonou o judaísmo e não o trocou por algo inteiramente distinto, o que isso significa para o ministério cristão?

༄༅༄༅༄

Cheguei a Israel junto com o calor do verão. As visitas regulares a nossa parteira se tornaram mais frequentes, e em 8 de julho de 2014 (aniversário de minha mãe), as Forças de Defesa de Israel deram início à Operação Vantagem Protetora; Israel estava, oficialmente, em guerra contra Gaza. O acirramento do conflito havia sido desencadeado pelo sequestro e assassinato de três adolescentes israelenses por membros do grupo Hamas, e os dias enevoados de verão eram pontuados por uma chuva de mísseis lançados indiscriminadamente de Gaza sobre centros populacionais israelenses. Israel deu início a uma ofensiva por terra contra Gaza com o objetivo de eliminar a complexa estrutura de túneis do Hamas que permitia o transporte de armas e munição vindas do Egito.

A guerra coincidiu com a época em que Yonah teve mais trabalho desde que o conheço. Por vezes, ele passava 24 horas fora, atendendo a clientes, e então voltava para casa apenas para comer e tirar um cochilo antes de sair de novo. Havia ocasiões em que um de seus funcionários danificava um móvel caro durante a mudança e, portanto, Yonah tinha de reembolsar o cliente. Depois de muito trabalho exaustivo, não sobrava quase nenhum pagamento para ele.

Eu estava entrando em parafuso e tinha a impressão de que não fazia outra coisa senão chorar. Mesmo quando Yonah estava em casa, era tão difícil me manter calma que até as poucas oportunidades de estarmos juntos eram sabotadas. "Tente não se estressar, Jen, não faz bem para o bebê." Esse era o refrão que menos ajudava e o que era repetido com mais frequência por uma porção de gente bem-intencionada. A clareza que eu havia sentido em Oslo se embaçou, e eu fantasiava com as riquezas simples de minha viagem recente aos Estados Unidos e com o fato de que minha vida nunca havia incluído o som estridente de sirenes de ataque aéreo.

Houve quatro ocasiões naquele verão em que as sirenes soaram em Jerusalém; nas quatro vezes, eu estava em nosso apartamento e, por um milagre, em todas elas Yonah também estava em casa. Ele segurava minha mão enquanto eu andava feito uma pata até o poço de escada do prédio que servia de abrigo improvisado em caso de bombardeio. Ali nos encolhíamos ao lado de nossos vizinhos até ouvir a explosão e, então, poder voltar a nosso apartamento.

Em meio à sensação avassaladora de terror, desenvolvi imensa gratidão pelo sistema israelense de defesa Cúpula de Ferro, que intercepta mísseis e os detona no ar. Era estarrecedor imaginar que havia alguém agachado em uma área de lançamento a apenas oitenta quilômetros de nós determinado a nos matar. Nós, israelenses judeus, éramos o inimigo. Perguntei-me como era possível lidar com a vida nesse país uma vez que tivesse nos braços um minúsculo ser humano que dependeria inteiramente de mim para sua segurança e seu bem-estar.

Certa manhã, em meados de julho, reunimo-nos com Amanda, nossa doula, para finalizar o plano de parto. Uma grande concentração de foguetes estava sendo lançada contra a região de Rishon Letzion, em que o parto estava marcado para ocorrer.

— Você acha que precisamos pensar em um local alternativo? — perguntei. Parto e guerra eram duas coisas das quais eu não tinha nenhum conhecimento, e era estranho demais ter de tratar de ambos na mesma conversa.

— É boa ideia ter um plano B — ela respondeu, levantando o olhar do caderno de anotações que tinha diante de si sobre nossa mesa de jantar.

— Até quando eu ainda posso viajar para os Estados Unidos? — perguntei. A possibilidade de dar à luz perto de minha família, mas longe de Yonah, era assustadora. A carga de trabalho dele era tanta nos meses de verão que não havia como ele viajar novamente.

— Até trinta e seis semanas — Amanda garantiu —, o que significa que você tem até início de agosto para tomar essa decisão.

Amanda morava em Israel havia muitos anos e sabia que, até agosto, poderia haver um cessar-fogo.

— Você também pode ir conhecer o hospital Hadassah como local alternativo — ela sugeriu, ciente de que não desejávamos um parto em hospital. — Acho que vocês vão gostar do centro de parto normal que eles têm lá.

Acabamos indo conhecer o centro de parto do hospital Hadassah, e o início de agosto veio e foi embora. A barriga estava tão grande que eu não conseguia mais ver os dedos dos pés, e a cada dia eu tinha de enfrentar a realidade de que a guerra continuava a se arrastar e de que a oportunidade de voltar para os Estados Unidos havia passado.

Um cessar-fogo duradouro e uma trégua frágil foram assinados em 26 de agosto, e na noite de 31 de agosto minhas contrações se iniciaram. Quarenta e duas horas e duas noites insones depois, nasceu nossa filha, Carmel. Quando a levamos para casa naquela noite, a mãe de Yonah estava à nossa espera com lágrimas de alegria nos olhos. Ao ir para cama com Carmel de um lado e Yonah do outro, meu coração parecia que ia explodir. Minha vida plena estava ali, aninhada ao meu redor de incontáveis maneiras que eu jamais poderia ter imaginado.

Essa filha, nascida de nossas histórias, levaria dentro de si a complexidade de sua identidade judaica e do discipulado do Messias ressurreto de Israel. Talvez, quem sabe, o vidro embaçado através do qual ela enxergará o mundo tenha alguns borrões a menos do que o vidro através do qual, hoje, nos esforçamos tanto para ver com clareza.

13
Um caminho para prosseguir

Não sabemos o que fazer,
mas nossos olhos estão voltados para ti.
Lembra-te, Senhor, de tua compaixão
e de tua benignidade,
pois elas são eternas. Que tua benignidade, Senhor,
esteja conosco, pois em ti esperamos.

TAHANUN, TRADICIONAL LITURGIA JUDAICA DE ORAÇÃO MATINAL

Carmel, agora com quatorze meses, havia finalmente adormecido sobre minha barriga que, mais uma vez, estava crescendo. Olhei para o relógio. Pousaríamos em Los Angeles em pouco mais de duas horas, quando os primeiros raios de sol estivessem fulgurando sobre o oceano Pacífico. Sobrevoávamos Montana. Era a décima terceira hora de um voo de quinze horas, e a única coisa visível da janela do avião era escuridão quebrada por uma luminosidade tênue em pontos distantes.

Depois de uma longa série de conversas e decisões complicadas, Yonah havia deixado sua empresa em Israel, e o futuro de sua carreira ainda era incerto. Nós dois estávamos ansiosos para passar um mês com minha família nos Estados Unidos, pois seria um tempo para nos distanciarmos das pressões e incertezas da vida em Israel, um tempo de descanso e reflexão.

Sem nenhum aviso, os alto-falantes do avião chiaram e a comissária de bordo israelense anunciou em voz desprovida de emoção: "Estamos fazendo um pouso de emergência devido a uma falha no motor. Por favor, afivelem os cintos de segurança". Ser curto e objetivo faz parte do charme singular da cultura israelense.

Quando a ficha caiu, mais de duas centenas de passageiros, em sua maior parte israelenses, começaram a despertar, e o som de cliques de cintos de segurança sendo afivelados pontuou conversas truncadas, cheias de ansiedade. Yonah e eu trocamos um olhar expressivo, e eu o vi tirar da mochila seu *siddur* de bolso e começar a orar.

Era tudo surreal, e o tempo pareceu se distorcer de forma irreconhecível. Minha respiração acelerou, e mil pensamentos se atropelaram em minha mente. Procurei me manter absolutamente imóvel, como se isso pudesse, de algum modo, estabilizar a aeronave que parecia estar falhando.

Não sei quanto tempo permaneci dessa forma, com a pequena Carmel dormindo em meu colo; a certa altura, começamos a ver as luzes dos veículos de emergência piscando logo abaixo. Houve um suspiro coletivo de alívio e uma estrondosa salva de palmas quando as rodas do avião tocaram o solo. Lá fora, ainda estava escuro e, às 4h da manhã, horário local de Billings, Montana, os caminhões de bombeiro escoltaram nosso avião até o portão.

Tenho certeza absoluta de que aquele foi o dia mais empolgante da carreira de muitos funcionários do aeroporto de Billings. Duzentos e cinquenta israelenses um tanto grogues e amarfanhados desembarcaram e, durante as dezoito horas seguintes, ocuparam um dos terminais do pequeno aeroporto. Billings não tinha alfândega e, portanto, ninguém podia sair da área designada. Membros da organização Chabad, na cidade de Bozeman,[1] ficaram sabendo de nossa situação e enviaram para o aeroporto comida *kosher* suficiente para alimentar todos nós por vários dias. Também recebemos travesseiros e cobertores, bem como ocasionais atualizações sobre nossa situação.

Por fim, às 21h, outro avião chegou e nos levou para Los Angeles. No dia seguinte, chegamos a Tahoe e nos acomodamos no quarto de hóspedes de meus pais, para passar um mês com eles. Eu sabia que o tempo em Tahoe seria uma oportunidade importante de obter uma perspectiva mais clara de nossa vida em Israel. O que eu não sabia era que esse tempo redirecionaria consideravelmente os próximos anos de nossa vida.

ᘛ•ᘛ•ᘛ

Os avanços na interpretação paulina que exploramos no capítulo anterior são apenas um elemento da reavaliação mútua que tem ocorrido atualmente entre judaísmo e cristianismo. Estamos vivendo em uma era extraordinária e extremamente importante nesse aspecto.

Vários acontecimentos relevantes foram os principais catalizadores para esse novo capítulo das relações entre judeus e cristãos. Primeiro, o Holocausto, que destacou a terrível situação do povo judeu e abriu os olhos de muitos cristãos para o lado sombrio do supersessionismo e do antijudaísmo presentes na história cristã. Segundo, e relacionado ao primeiro, a criação do estado moderno de Israel e a volta de milhões de judeus a sua pátria bíblica. Esse acontecimento parecia mais que improvável (Martinho Lutero foi uma das principais vozes a destacar esse fato), e só restou aos cristãos levantar uma nova série de perguntas teológicas e exegéticas à luz dessa ocorrência monumental. Terceiro, novos paradigmas na interpretação bíblica se opuseram à perspectiva dominante de judaísmo e cristianismo como duas tradições religiosas mutuamente exclusivas, em que Paulo aparece como convertido prototípico que desmascarou a falência do judaísmo e dedicou sua vida a anunciar as riquezas de seu sucessor, o cristianismo.

Por fim, o surgimento do movimento judaico messiânico na década de 1970 ofereceu uma ilustração concreta do que pode acontecer quando tornamos indistintas as linhas que dividem judaísmo e cristianismo e nos opomos à máxima aceita de longa data segundo a qual é impossível ser judeu e, ao mesmo tempo, cristão.

O judaísmo messiânico surgiu de forma concomitante com uma reavaliação amplamente difundida no mundo das missões cristãs, que está despertando para o fato de que o evangelho foi atrelado aos produtos ocidentais exportados para o restante do mundo, agregado a ideais modernos de comércio e cultura. Está cada vez mais claro para missiólogos cristãos que cabe aos missionários apoiar povos ao redor do mundo para que descubram expressões singulares do evangelho cristão dentro de seus contextos e culturas (em contraste com a substituição deles); seguindo essa linha, o judaísmo messiânico oferece, no contexto judaico, um exemplo do novo modelo de missões. No movimento judaico messiânico, o evangelho se estabelece dentro dos muros do judaísmo. Claro que esse contexto específico também é ligado à cultura e ao contexto de Jesus, e judeus de carne e osso em nossos dias são herdeiros da aliança de Deus com nosso antepassado, Abraão.

O Segundo Concílio do Vaticano da Igreja Católica, realizado no início da década de 1960, apresentou a primeira interação propositada com o impacto desses acontecimentos sobre a teologia cristã. O concílio publicou um documento com o título *Nostra Aetate* (em latim, "Em nosso tempo"), que em vários aspectos definiria o tom para as décadas futuras de relações entre judeus e cristãos. *Nostra Aetate* reflete sobre a aliança de Deus com o povo judeu e faz referência ao "laço que une espiritualmente o povo da Nova Aliança com a descendência de Abraão". O documento lança mão da metáfora da oliveira apresentada por Paulo em Romanos 11 e pede à igreja cristã que não se esqueça de que "extrai o sustento da raiz dessa oliveira bem cultivada na qual foram enxertados os ramos silvestres, os gentios".

O *Nostra Aetate* subverte o tema recorrente e historicamente arraigado no cristianismo de que os judeus mataram Jesus, transferindo o foco para a importância teológica e salvífica da morte de Cristo e afirmando que "Cristo sofreu a paixão e a morte voluntariamente, em razão dos pecados dos seres humanos e por amor infinito, a fim de que todos possam chegar à salvação".

De modo significativo, o documento declara que, embora "Jerusalém não tenha reconhecido o tempo de sua visitação", e muitos judeus tenham rejeitado o evangelho de Jesus e até se oposto a ele, "Deus tem enorme apreço pelo povo judeu por causa de seus Pais; ele não se arrepende das dádivas que concede nem dos chamados que pronuncia; esse é o testemunho do Apóstolo". Ao passar do âmbito teológico para o prático, *Nostra Aetate* "condena o ódio, as perseguições e as demonstrações de antissemitismo dirigidos contra os judeus em qualquer ocasião e por qualquer pessoa".

É difícil expressar quão amplo foi o impacto das asserções do *Nostra Aetate*, e os frutos teológicos que elas têm produzido. Diante de séculos de antijudaísmo cristão, o documento assevera energicamente a natureza perene da aliança de Deus com o povo judeu (em oposição ao supersessionismo), reconhece o vínculo especial e singular entre judeus e cristãos, condena séculos de acusações de que os judeus mataram Cristo e se posiciona publicamente contra qualquer forma de antissemitismo. Em essência, posiciona a Igreja Católica (o maior grupo de cristãos do mundo) como aliada do povo judeu em lugar de sua rival.

O mundo cristão protestante também publicou várias declarações acerca da ligação fundamental entre a igreja e o povo judeu dignas de nota,[2] mesmo que não tenham exercido o mesmo tipo de impacto amplo que o *Nostra Aetate*. Em resumo, o *Nostra Aetate* desencadeou uma extensa reavaliação cristã do povo judeu e da relação entre judaísmo e cristianismo, um abrangente movimento eclesiástico cujas implicações continuam a se propagar.

∽•∽•∽

Cerca de uma semana depois que chegamos a Tahoe, a realidade me atingiu em cheio. Ruminei interiormente por alguns dias um pensamento atordoante e, então, telefonei para Roz, que continuava a ser minha amiga e mentora querida. Sentia-me desnorteada, incerta e perplexa.

— Roz, não posso voltar para Israel no mês que vem — verbalizei pela primeira vez, sem rodeios. Essa conclusão havia se tornado cada vez mais clara em minha mente durante nosso tempo em Tahoe, mas eu ainda não a havia expressado em voz alta.

Para mim, o nascimento de Carmel havia mudado tudo. Havia mudado quem eu era. Morar a dezesseis mil quilômetros de minha família e vê-la duas vezes por ano tinha se tornado quase insuportável.

Além disso, a realidade era que estávamos passando por um período especialmente violento em Israel. A guerra com Gaza pouco antes de Carmel nascer deu lugar a uma série de ataques com carros por toda a cidade de Jerusalém (um deles matou uma garotinha de dois meses a um quilômetro e meio de nosso apartamento quando Carmel estava com dois meses), que por sua vez deram lugar à "intifada com facas"[3] (vários meses de terrorismo na forma de esfaqueamentos brutais, cerca de três por dia, em lugares aleatórios de todo o país).

Passei a ter medo de sair de nosso apartamento e ansiava de todo o meu ser voltar a morar nos Estados Unidos. Em uma tentativa de manter alguma espécie de normalidade que me estabilizasse, obrigava-me a fazer uma caminhada de trinta minutos com Carmel todos os dias, contando os minutos até que pudéssemos voltar para casa, o coração disparando sempre que cruzava com alguém pelo caminho. À noite, só conseguia dormir se estivesse tocando Carmel, sentindo-a respirar. Todo o brilho de Israel parecia inteiramente obscurecido para mim. Eu tinha a sensação de que estava afundando. Para completar, nosso segundo filho nasceria em quatro meses, e Yonah não tinha emprego a sua espera em Israel.

Respirei um pouco mais aliviada quando ouvi Roz validar minha declaração inesperada e quase incompreensível.

— Jen, não dá para pensar em voltar desse jeito. Você precisa de um tempo.

O próximo passo foi tratar desse assunto com Yonah, o que desencadeou uma mudança drástica em nossa vida. O sonho de Yonah a vida inteira tinha sido morar em Israel, um sonho que ele vivenciava havia mais de uma década. Como pátria judaica, Israel era seu lar. A importância teológica do país norteava seu ser, e seu compromisso de viver ali exercia forte influência sobre seus objetivos e suas prioridades.

O que me angustiou durante o namoro foi a ideia de que, ao me casar com Yonah, estaria adotando essa visão para nossa vida, unindo-me a algo muito menos conhecido e menos idelogicamente inerente a mim, mas que, ainda assim, caracterizava nosso futuro a dois. Até mesmo a clareza que havia recebido em Oslo incluía morar em Israel, algo que entendi como parte importante de escolher a vida com Yonah.

Agora, era como se eu estivesse voltando atrás em tudo isso, recusando-me a prosseguir na direção que havíamos definido de comum acordo, tentando dar, sozinha, um rumo radicalmente diferente a nosso futuro. Embora eu sentisse, de forma latente, o peso de tudo isso, também tinha uma leve impressão de que, talvez, essa mudança inesperada de curso não fosse apenas a imposição de minha vontade rebelde; talvez fosse, de algum modo inescrutável, ação de Deus.

Na época, para Yonah essa ideia parecia impossível. Da perspectiva dele, Deus o havia conduzido a Israel e eu tinha adotado sua visão, e agora eu estava transtornando os elementos fundamentais da identidade que ele havia formado tão criteriosamente e da esperança de que, um dia, nossos filhos participariam dessa identidade.

E, no entanto, em meio a tristeza e confusão indescritíveis, o amor de Yonah por mim e seu compromisso com nossa família prevaleceram. Passamos o restante da estadia em

Tahoe pesquisando os detalhes logísticos de mais uma mudança internacional, dessa vez abrupta e inesperada. Então, no meio de uma forte nevasca, Yonah embarcou sozinho no voo de volta. Passou duas semanas frenéticas em Israel, empacotando nossos pertences e se preparando para começar uma vida inteiramente nova nos Estados Unidos.

Durante o tempo que ele passou em Israel, aconteceram duas coisas que pareceram lembranças pequenas, porém expressivas, de que Deus estava presente com ele na angústia e na confusão, prometendo guiar nossa vida mesmo fora da terra prometida. Primeiro, nosso amigo querido Baruch (que havia nos dado ajuda inestimável quando mudamos para o apartamento em Jerusalém) proferiu sobre Yonah as palavras de Jeremias 29.7: "Trabalhem pela paz e pela prosperidade da cidade para a qual os deportei. Orem por ela ao SENHOR, pois a prosperidade de vocês depende da prosperidade dela".

Essas palavras, ditas pelo profeta Jeremias para os exilados na Babilônia depois da destruição arrasadora do primeiro templo em Jerusalém e da deportação da elite de sacerdotes e profetas judeus, foi um raio de esperança que incidiu sobre uma das horas mais sombrias da história judaica. Desarraigados de sua terra, os exilados não podiam mais prestar culto no templo demolido e, sem dúvida, se perguntaram se Deus os havia abandonado. Em meio a sua confusão e desespero, Deus lhes deu a comissão de se dedicar a investir no bem-estar da Babilônia, o último lugar em que desejavam viver. Essa ideia se tornou um princípio norteador para Yonah durante sua própria experiência involuntária de exílio.

Segundo, Yonah ouviu a pregação de um rabino em um culto de Shabbat que o tocou profundamente e, mais uma vez, tratou de forma direta de sua situação. A mensagem foi sobre

Jacó, e o rabino explicou que, quando Jacó voltou a Betel em Gênesis 35, talvez tenha interpretado seu trabalho árduo como cumprimento da profecia de Deus a Abraão em Gênesis 15.13, de que seus descendentes labutariam em terra alheia. No entanto, como Jacó descobriu posteriormente por meio da saga de seu filho José, o verdadeiro exílio ainda não havia começado, e Deus tinha reservado para eles um livramento ainda maior do que Jacó havia imaginado. Yonah, prestes a começar sua jornada para uma terra estrangeira, uma espécie de Egito, encontrou consolo nessa lembrança de que a presença dos israelitas no Egito foi exatamente o que levou ao êxodo, o livramento paradigmático realizado por Deus para seu povo.

E, portanto, na véspera de Ano-Novo, levando na bagagem uma década de memórias, duas lembranças da obra de Deus em meio ao exílio, e Dash em sua caixa de transporte, Yonah embarcou de volta para os Estados Unidos.

ᘜ·ᘜ·ᘜ

O Segundo Concílio do Vaticano desencadeou uma ampla reavaliação cristã do judaísmo e do povo judeu, recebida com uma recíproca reconsideração do cristianismo por muitas organizações judaicas e muitos rabinos judeus importantes. "Esses desdobramentos representam um novo tipo de interação judaico-cristã, possibilitado por reconhecimento e renúncia crescentes, por parte dos cristãos, do supersessionismo que atribulou a história cristã, e por reconhecimento crescente dos judeus de que a teologia cristã não é inerentemente antijudaica."[4]

Embora hoje em dia seja bastante comum judeus e cristãos trabalharem juntos em diversos tipos de iniciativas, o aspecto teológico dessa era notável em que estamos vivendo é especialmente impressionante. Há quatro indicadores importantes desse novo diálogo judaico-cristão.

Primeiro, judeus e cristãos que participam dessa interação se mostram abertamente comprometidos com suas respectivas tradições e consideram sua particularidade religiosa uma vantagem, e não uma desvantagem, em seu trabalho interconfessional. Em outras palavras, é na condição de cristãos comprometidos e de judeus comprometidos que eles procuram dialogar uns com os outros e entender uns aos outros; seus liames religiosos não são separados de seu diálogo, nem secundários em relação a ele.

Segundo, esses estudiosos procuram entender a tradição religiosa uns dos outros nos termos e nas categorias de sua própria religião. Essa abordagem permite o enriquecimento do intercâmbio religioso, pois a particularidade religiosa do outro é considerada em relação às convicções profundas de quem a considera (e não de forma isolada delas). Essa tendência é contrária ao paradigma fortemente arraigado que vê cristianismo e judaísmo como tradições religiosas mutuamente exclusivas, com doutrinas incompatíveis e rumos teológicos divergentes.

Terceiro, os teólogos que representam o novo diálogo judaico-cristão têm consciência de um forte conjunto de elementos comuns subjacentes entre o judaísmo e o cristianismo. Embora não minimizem nem desconsiderem as importantes diferenças teológicas e históricas entre essas duas comunidades religiosas, reconhecem que o vínculo entre elas não tem análogos em nenhum outro par de tradições religiosas.

Por fim, e talvez mais importante, esses teólogos estão começando a reconceituar sua própria identidade religiosa e seu entendimento de si mesmos à luz do diálogo uns com os outros. Se judaísmo e cristianismo são misteriosa e indelevelmente ligados, segue-se que só podem ser devidamente definidos em referência um ao outro.

Esse tipo de posicionamento abre novos horizontes de possibilidade no que diz respeito às relações entre judeus e cristãos e proporciona uma estrutura promissora por meio da qual se pode questionar e reescrever o paradigma predominante de exclusividade e hostilidade mútuas que caracterizou, historicamente, a relação entre judaísmo e cristianismo.

Se, como o Papa João Paulo II argumenta, o judaísmo é, de algum modo, "intrínseco" ao cristianismo, as implicações plenas do novo diálogo entre judeus e cristãos para a teologia cristã só estão começando a se evidenciar. Em última análise, se a ligação perene e completa entre judeus e cristãos é real, deve se inserir em todas as doutrinas da teologia cristã. Não pode ser limitada apenas aos conceitos cristãos de evangelismo ou de eclesiologia; deve nortear todas as doutrinas cristãs. Em outras palavras, seu efeito sobre o conceito próprio do cristianismo deve ser total [...] Em resumo, se o judaísmo é intrínseco ao cristianismo, *nenhuma doutrina da teologia cristã pode ser entendida sem que faça referência ao judaísmo e ao povo judeu.*[5]

O florescimento desse novo relacionamento é bastante promissor para cura, reconciliação e parceria redentora, e seu impacto pleno ainda está se desenrolando. Embora não tenhamos como saber ao certo para onde essa nova trajetória conduzirá, podemos nos admirar diante do caminho conturbado que nos trouxe até aqui e do convite que recebemos para participar de seus contornos extraordinários.

Os desdobramentos momentosos referentes a essa relação entre judaísmo e cristianismo também têm implicações relevantes para o movimento judaico messiânico e para a existência intermediária dos seguidores judeus de Jesus. Embora a história tenha relegado esse grupo à condição de "meio-termo excluído", muitos estudiosos e teólogos de hoje estão começando a enxergar os judeus messiânicos como o elo essencial entre a igreja e o povo judeu, resgatando um entendimento mais próximo daquele que vemos representado no Novo Testamento. Os judeus messiânicos ligam os cristãos à comunidade mais ampla de Israel, a raiz firme e forte à qual eles foram enxertados. Afinal, para que a igreja entenda verdadeiramente sua identidade, precisa entender a comunidade da aliança à qual, por meio de Cristo, ela foi unida.

Por isso, quando leciono sobre esses acontecimentos, começo com a oração *shehecheyanu* do judaísmo: *"Baruch atah Adonai Eloheinu melech haolam, shehecheyanu, v'kiy'manu, v'higiyanu laz'man hazeh"* (Bendito és tu, Senhor nosso Deus, Rei do Universo, que nos mantivestes com vida, nos sustentastes e nos conduziste a esta época).

❧ ❧ ❧

Dois termos principais são usados para falar da existência do povo judeu fora da terra de Israel. O primeiro é *galut*, termo hebraico que significa, literalmente, exílio e expressa o cativeiro político e emocional de um povo arrancado de sua terra e sujeitado a um governo estrangeiro. Tecnicamente, esse termo e a realidade que ele representa chegaram ao fim uma vez que o estado moderno de Israel foi fundado e se tornou possível o povo judeu viver soberanamente em sua pátria.

O segundo termo é *diaspora*, palavra grega que significa ser dispersado ou espalhado e, em geral, se refere à realidade mais neutra de que quase metade dos judeus do mundo continua a viver fora da terra de Israel, mesmo depois da fundação do estado moderno de Israel em 1948.

Para Yonah, bem como para muitos outros judeus sionistas, o termo *galut* ainda é aplicável; para ele, nossa vida em Tahoe é uma espécie de exílio que ele aceita voluntariamente porque seu compromisso conosco, sua família nuclear, tem precedência sobre seu compromisso ideológico de viver em Israel. O fato de ele buscar diariamente a prosperidade de nossa cidade e raramente verbalizar sua lamentação por ter deixado Israel é testemunho da força de seu caráter e de sua crença profunda de que Deus, verdadeiramente, continua a guiar e fundamentar nossa vida onde quer que estejamos.

Passados três meses da volta de Yonah para os Estados Unidos depois de ter resolvido todas as pendências em Israel, nosso filho Asher nasceu. Seu nascimento foi belo e redentor, e ele tem feito jus ao significado de seu nome, "feliz" ou "bem-aventurado", e tem trazido alegria e riso imensuráveis a nosso lar. Seu segundo nome é Israel, para que nosso filho nascido em *galut* não se esqueça de qual é o verdadeiro lar de seu povo.

De acordo com Franz Rosenzweig, a identidade da pessoa judia é como "um lar interior do qual ela pode se livrar tanto quanto o caracol pode se livrar de sua casa, ou, o que seria uma metáfora melhor, um círculo mágico do qual ela pode escapar tanto quanto seu sangue pode escapar da circulação, simplesmente porque, de modo semelhante a este último, ela o carrega consigo por onde quer que vá e onde quer que permaneça".[6] Ao continuarmos a morar em Tahoe, a dezesseis mil quilômetros do lar da aliança do povo judeu, nossa identidade se mantém. Sou lembrada dessa realidade a cada sexta-feira à noite, quando vejo Yonah impor as mãos sobre a cabeça de nossos filhos e pronunciar sobre eles a Bênção de Arão. Sou lembrada dela a cada dia, nos ritmos de nossa vida marcados pelos contornos contraculturais do calendário judaico. Sou lembrada dela quando nossos filhos estudam hebraico além de inglês e, por vezes, se saem melhor no primeiro que no último.

Embora os detalhes de minha incapacidade de voltar a Israel e a série de acontecimentos que ela desencadeou sejam complexos, nossa vida agora tem como base minha cidade natal, um lugar no qual eu imaginei que nunca mais voltaria a morar.

Nossa casa fica na mesma quadra que a de meus pais, onde cresci, e o relacionamento com meus pais é um elemento fundamental da vida de meus filhos de uma forma que eu nunca poderia ter imaginado. Ligações no FaceTime entre Carmel e meus pais durante o tempo que morávamos em Israel agora deram lugar à vida diária conjunta de meus filhos e meus pais. Eu havia saído de Tahoe logo depois de me formar no ensino médio, e minha vida aqui continua a me deleitar com sua doçura e me espantar com suas surpresas.

Enquanto estou sentada aqui, digitando em meu notebook, ouço ondas de riso vindas do andar de cima, em que as crianças estão com minha mãe, lendo livros e fazendo um lanche. O ritmo de nossa vida é precioso e previsível, de uma forma e em um lugar que eu jamais havia imaginado. Nas mesmas ruas em que eu costumava andar de bicicleta agora estou ensinando meus filhos a andar nas primeiras bicicletas deles. De algum modo, assim como quando eu era criança, esse é meu lar. Embora nossa vida mais plena talvez ainda esteja em Israel, esses anos em Tahoe continuam a revelar que esta também foi, sempre, uma parte de meu sonho (e do sonho de

Deus para nós?), ainda que adormecida ou não reconhecida por muitos anos.

Nossa residência atual nos Estados Unidos confere certa simetria a nosso casamento, pois agora cada um de nós sabe o que significa fazer grandes sacrifícios para que estejamos juntos. Esse tempo tem sido repleto de restauração para mim, um tempo para me reapropriar de muitas coisas perdidas, ou das quais abri mão ao longo do caminho; de uma forma estranha e misteriosa, para Yonah é um tempo de perder essas mesmas coisas.

As comunidades que nos fundamentam representam a natureza fragmentada de nossa identidade religiosa e nosso compromisso de construir pontes e imaginar novos caminhos para prosseguir. Temos forte envolvimento com a comunidade judaica local, bem como com a igreja evangélica local, e sempre que possível vamos à sinagoga messiânica mais próxima (que fica a duas horas daqui). De algum modo, essa comunidade que mais se parece com uma colcha de retalhos combina com a colcha de retalhos de nossa identidade, e o fato de encontrarmos rica nutrição em cada um desses lugares, ao mesmo tempo que não nos encaixamos inteiramente em nenhum deles, parece expressivo.

Para mim, a comunidade na qual me sinto mais à vontade é na organização Yachad BeYeshua, e sua natureza global, difusa e ecumênica me ajuda, paradoxalmente, a manter a unidade das várias partes que constituem a versão cada vez mais complexa, mas gratificante, de quem eu sou. Em nosso cantinho do mundo, procuramos pôr em prática uma visão de judaísmo e de cristianismo em que cada tradição é enriquecida pela outra e em que as trilhas que ligam ambas estão cada vez mais repisadas.

Se esta é uma espécie de exílio para nós, continua a ser fato que Deus sempre usou tempos de exílio para moldar seu povo. Afinal, foi na Babilônia, no lugar em que Deus parecia ter abandonado Israel, que os grossos volumes do Talmude foram produzidos, e suas páginas continuam a guiar a vida e a prática do povo judeu ao redor do mundo até hoje. Como Deus diz por intermédio do profeta Oseias, Deus conduz seu povo ao deserto a fim de lhe falar com carinho (Os 2.14).

É verdade que o exílio é um tempo formativo, de refinamento, em que Deus molda seu povo cada vez mais para seus propósitos. Esses temas correspondem a muitas de nossas experiências depois que voltamos aos Estados Unidos. Em vários aspectos, tem sido um tempo de cura, um tempo de descanso profundo e de grande produtividade. Muitas vezes, o caminho para avançar parece ser um passo para trás, e a narrativa bíblica declara que a vida do povo de Deus não é, de maneira nenhuma, linear.

E, no entanto, como o arco da narrativa bíblica revela, o exílio chegará ao fim. Apenas alguns versículos depois que Jeremias exorta os exilados a construir casas e se estabelecer nelas na terra do exílio, Deus promete a seu povo que ele o levará de volta à terra prometida, que seu tempo de exílio chegará ao fim, como o tempo dos israelitas no Egito chegou ao fim.

Também estamos vivendo nesse tempo intermediário, desfrutando a colheita rica de nossa vida na Califórnia, mas preparados para que Deus, a seu tempo, nos conduza de volta à terra prometida. Minha esperança é que nossa estadia em Tahoe, não importa quanto tempo dure, nos torne mais fiéis, mais alegres e mais esperançosos. Embora o caminho adiante seja incerto, peço a Deus que use esse tempo para nos tornar mais semelhantes às pessoas que ele nos criou para ser, que cultive em nós consciência mais profunda de sua presença constante e capacidade de reconhecer que ela faz toda a diferença do mundo.

Epílogo

O evangelho judaico

Quando me tornei seguidora de Jesus na faculdade, minha identidade judaica parecia irrelevante. Assim, coloquei-a de lado e procurei ser cristã da forma que meus amigos mais chegados eram. Em retrospectiva, sinto-me especialmente grata pelos poucos amigos que não me permitiram esquecer por completo minha identidade judaica.

Pessoas como Kelly, minha vizinha no dormitório do primeiro ano da faculdade e que logo se tornou uma de minhas amigas mais próximas. "Jen, você faz parte do povo escolhido de Deus, dos 144 mil!", ela lembrou mais de uma vez. Na época, não significava nada para mim, senão que havia algo que me tornava diferente de meus amigos cristãos, a última coisa que eu queria.

E como Mikayla, que deixava mensagens de voz e enviava cartões nas festas judaicas muito antes de elas terem sentido para mim. Ela havia estudado com Marvin Wilson na Faculdade Gordon e desenvolvido grande amor por todas as coisas judaicas, o que incluía minha família e eu. "Feliz Simchat Torá!", ela dizia no início da mensagem.

Para mim, esses gestos de meus amigos pareciam, de algum modo, incongruentes e até mesmo importunos. Pareciam ser entraves para a pessoa que eu estava me tornando e que desejava ser. *Tudo bem que cresci em um lar judaico*, eu pensava, *mas agora sou seguidora de Jesus*.

No fim das contas, porém, essas lembranças de meus amigos cristãos apontaram o caminho para que eu percebesse (e, com o tempo, aceitasse) uma tensão fundamental dentro de minha identidade. E essa tensão, por sua vez, se tornou a força motriz das maiores paixões de minha vida.

Levou alguns anos para vir à tona a sensação incômoda de que eu havia deixado para trás uma parte essencial de minha identidade. Mas, uma vez que essa sensação se fez perceber, não tinha volta.

Às vezes me pergunto: *Será que não teria sido mais fácil deixar quieto? Deixar que minha parte judia se desvanecesse? Simplesmente me identificar como cristã, como fazem mais de dois bilhões de pessoas pelo mundo afora?*

Em certo sentido, sim. É sempre mais simples nos acomodarmos em caixas bem definidas. Creio, contudo, que minha vida teria sido destituída de muita de sua riqueza se eu tivesse escolhido esse caminho (ou, talvez mais precisamente, se ele tivesse me escolhido). Em vez disso, o caminho em que me encontro, repleto de incerteza e de indefinição, é a fonte da maior alegria de minha vida. Esse caminho, com todos os seus labores e incompreensões, lágrimas e angústia, é meu lugar de encontro com Deus, o Deus de meus antepassados, o Deus de Israel, o Deus revelado plenamente na pessoa de Jesus Cristo.

Uma coisa, contudo, posso dizer com certeza: não foi uma experiência de enlevo contínuo no alto do monte. Em minha jornada, não faltaram temor, dúvida e um bocado de solidão. No entanto, por mais estranho que pareça, foram exatamente esses aspectos de minha experiência que me abriram os olhos para dádivas e guias preciosos que Deus enviou ao longo do caminho. Acontecimentos como a viagem com o grupo Direito Inato, durante a qual descobri mais uma camada de minha identidade complexa. Pessoas como Mark Kinzer, que me garantiram logo no início que, embora a jornada seja solitária, eu não estou sozinha.

Quando meu amigo e colega David Rudolph oferece orientações sobre como nos envolver em discussões teológicas saudáveis, ele nos incentiva a *seguir o incômodo*.[1] Quando nos sentimos cutucados por algum conceito ou alguma asserção que questiona nossa cosmovisão e desperta em nós o desejo de resistir, será que nos dispomos a permanecer só um pouquinho mais nesse lugar de desconforto antes de nossa reação natural tomar conta? Somos capazes de tolerar dissonância cognitiva, ou procuramos instintivamente nos retrair na caverna aconchegante da resolução total?

Com frequência, quando leciono teologia cristã, peço a meus alunos que resumam por escrito em uma frase o evangelho, as boas-novas sobre Jesus Cristo.[2] Em seguida, conversamos sobre o que escreveram: Que parte das Escrituras cada aluno focalizou? Quais foram as coisas mais importantes que Jesus veio fazer e trazer? Israel foi mencionado?

Meu objetivo ao propor esse exercício é desafiar meus alunos a ver o evangelho como a representação de um capítulo central da narrativa que começou muito antes de Jesus entrar em cena, e não como algo que surge do nada e cujos termos-chave derivam também do nada seu significado. Na realidade, o vocabulário no qual o cristianismo é firmado tem suas raízes nas Escrituras de Israel, e palavras como Deus, Messias, bênção, oração, louvor, ação de graças, salvação e redenção só fazem sentido no contexto da narrativa apresentada nessas Escrituras.[3] *Se o evangelho que pregamos não tem nenhuma relação com a aliança de Deus com Israel, creio que deixamos de fora algo extremamente importante.*

Essa asserção pode ser desconcertante, e repensar o evangelho por essa perspectiva talvez exija certa reconceituação de categorias e conclusões. Pode ser inquietante ver um conceito tão fundamental para o Novo Testamento e para a fé cristã decorrente dele ser questionado. A pergunta importante é: O que fazemos com essa inquietação? Ela nos leva a tapar os ouvidos e a recuar para o território de conceitos conhecidos e ideias batidas? Ou podemos abordar nosso desconforto com curiosidade, disposição de seguir essa trilha e ver aonde ela nos leva?

Meu terapeuta menciona, com frequência, como sistemas familiares são parecidos com termostatos. Temos uma temperatura habitual, para a qual programamos o termostato, e ele opera de acordo com essa programação. Qualquer alteração é recebida com forte resistência. "De jeito nenhum. Vamos ficar em 20ºC", o sistema diz. Podemos concluir que o termostato está certo e que tentar ajustar a temperatura é perda de tempo, ou é arriscado demais. É possível, contudo, que estejamos equivocados.

Um de meus propósitos ao escrever este livro foi tornar evidente um termostato teológico extremamente forte. A história cristã tem nos mantido em uma narrativa programada que resiste a questionamentos e se apega a certas passagens bíblicas e figuras históricas que reforçam a narrativa predominante.

E, no entanto, vivemos em uma era em que categorias cristãs teológicas importantes estão sendo cada vez mais repensadas, e um aspecto central desse processo de repensá-las diz respeito ao relacionamento entre judaísmo e cristianismo, entre Israel e a igreja.

Se eu tivesse de resumir o objetivo deste livro em uma frase, seria: Colocar esse fenômeno teológico na tela do radar de cristãos devotos e, com isso, levantar questionamentos sobre o evangelho que pregamos. Quero recapitular a história que declarou, categoricamente, que judaísmo e cristianismo são duas tradições religiosas separadas (e, em sua maior parte, incompatíveis) e questionar as conclusões às quais essa história muitas vezes conduz.

Minha esperança é que, ao terminar este livro, o leitor se sinta ligeiramente incomodado. Incomodado com a tendência da fé cristã de operar muito bem com pouca ou nenhuma referência ao povo de Israel e à aliança de Deus com ele. Incomodado com os sermões supersessionistas ouvidos ao longo dos anos. Incomodado com o modo como "os fariseus legalistas" sempre são apresentados como os vilões da teologia cristã.

Espero que, em lugar de respostas fáceis para questões teológicas difíceis, este livro lhe dê *novas perguntas* para refletir e ruminar. Perguntas sobre a ligação fundamental e indelével entre a igreja cristã e o povo judeu e o que essa ligação talvez signifique para você e sua comunidade. Perguntas que, por vezes, talvez lhe deem insônia, perguntas que você fará em seu grupo de estudo bíblico semanal, ou na conversa por telefone com um amigo.

Espero que você siga o incômodo e veja aonde ele vai dar. Espero que acolha as tensões que sentir, mesmo que não tenha uma ideia clara de como ou se elas serão resolvidas. E, por fim, espero que essas tensões conduzam você a uma vida mais profunda e mais rica de fé e discipulado em que você se descobrirá como pessoa amada e acolhida pelo grande Deus de Israel.

Agradecimentos

Em minha experiência, escrever um livro é como empreender uma jornada, e sou muito grata por ter um grupo tão maravilhoso de companheiros na jornada específica deste livro.

Sou grata pelos incontáveis alunos ao longo dos anos que me proporcionaram um espaço maravilhoso para propor muitas das ideias e dos argumentos apresentados neste livro. Obrigada por seu feedback, por sua participação e por sua disposição de considerar ideias novas e, por vezes, desafiadoras.

Agradeço a Katelyn Beaty, que ajudou a criar a visão para este livro em sua forma atual.

Esta obra não teria vindo a existir não fosse pela orientação extraordinária de minha agente, Keely Boeving, que também foi uma valiosa leitora ao longo do caminho. Obrigada por defender este projeto, Keely!

Muitos agradecimentos a meus outros cinco leitores: Claire Crisp, Mark Kinzer, Andie Cohn, Michael Stone e Amy-Jill Levine. Suas considerações foram de valor inestimável, e suas observações criteriosas sobre cada capítulo tornaram o texto muito mais sólido. Agradeço especialmente a Michael Stone por sua colaboração importante no capítulo 10 e a Matt Thiessen por suas sugestões para o capítulo 4.

Também sou extremamente grata a toda a equipe da IVP e, de modo específico, a meu editor, Al Hsu, que visualizou o projeto logo no início, deu imenso apoio e foi responsivo e diligente ao longo de todo o processo de escrita e revisão. Se há um recorde mundial para número de e-mails escritos por um autor a um editor, é possível que eu o tenha quebrado.

Agradeço a Deborah Edgar, que me ajudou a manter algo semelhante à sanidade durante toda a pandemia de Covid-19, enquanto eu escrevia este livro.

Sou profundamente grata pelo apoio diário de meu marido Yonah, minha âncora, meu lar, aquele que me permite vicejar em tantos aspectos importantes e que, muitas vezes, não valorizo devidamente. E sou grata a meus filhos, Carmel e Asher, pois são exemplos contínuos para mim de paciência e bondade.

E, por fim, um grande "muito obrigada" a meus pais pelas maneiras incríveis com que apoiam, a cada dia, nossa família e minhas empreitadas profissionais. Mãe, Pai, este livro é dedicado a vocês e não existiria sem vocês, que são, verdadeiramente, uma inspiração.

Perguntas para reflexão ou discussão

Introdução

1. O que atraiu você para sua igreja ou comunidade atual? Que aspectos de sua comunidade continuam a ser mais expressivos para você?
2. De que maneira o judaísmo costuma ser retratado no contexto de sua igreja? E quanto ao povo judeu? Há referências específicas que chamam sua atenção?
3. Que interações você teve com judeus? Qual foi o principal contexto (amigos, membros da família, colegas de trabalho, etc.) e o tom (combativo, amigável, superficial, etc.) dessas interações?

1. A separação

1. Que pessoas foram mentoras importantes em sua vida e como ajudaram você a moldar seu entendimento de si mesmo?
2. O Credo Niceno é recitado em sua igreja? O que esse credo e outros credos cristãos históricos significam para você?
3. Qual é sua reação à liturgia de conversão do sétimo século citada nesse capítulo? Em sua experiência (ou de sua perspectiva), o que acontece com os judeus que creem em Jesus?

2. O meio-termo excluído

1. Pense em uma ocasião em que você não se enturmou em um grupo. Qual foi sua reação?
2. O teólogo judeu David Novak afirma que "as asserções doutrinárias supremas do judaísmo e do cristianismo são não apenas diferentes, mas também mutuamente exclusivas. [...] É impossível ser judeu e cristão ao mesmo tempo". Você concorda? Quais são as implicações da afirmação de Novak, quer se adote a perspectiva dele quer não?
3. O que você pensa da declaração "judeus *como judeus* e gentios *como gentios* agora formam, juntos, a comunidade do Messias"? O que talvez signifique para judeus e gentios seguir Jesus de formas diferentes?

3. Perdido na tradução

1. Que experiências foram mais formativas para você em seu processo de autodescoberta religiosa e de outras áreas de sua vida? O que as tornou tão importantes?
2. Em seus círculos religiosos, de que maneira os mandamentos do Antigo Testamento costumam ser interpretados e entendidos? Existe a ideia de que continuam a ter significado e importância?
3. Qual é sua abordagem à metáfora de Paulo do "enxerto"? De sua perspectiva, o que acontece entre a comunidade cristã e o povo de Israel nessa metáfora? O que está em jogo em nossa forma de entender essa passagem?

4. Jesus e a pureza ritual

1. Quais são alguns de seus livros prediletos e por que são tão expressivos para você?
2. O que você descreveria como "forças da morte" em nossa cultura e em nosso contexto? O que significa se opor a elas?
3. Um entendimento mais profundo da relação de Jesus com a pureza ritual do Antigo Testamento influencia seu entendimento do evangelho? Em caso afirmativo, de que maneira?

5. "A terra que eu lhe mostrarei"

1. Houve ocasiões em sua vida em que você ouviu Deus falar claramente? Quais foram as circunstâncias e como foram essas experiências?
2. Em que aspectos você se identifica com a centralidade da terra de Israel na vida e no pensamento judaicos? A seu ver, quais são as implicações do fato de que o judaísmo é uma religião "ligada à terra"?
3. De que maneira as questões políticas associadas ao estado moderno de Israel influenciam seu entendimento do papel da terra na Bíblia?

6. Corpo

1. Quais são algumas das práticas espirituais mais marcantes para você? De que maneira elas envolvem o corpo, e por que são tão carregadas de significado?

2. Você observa indícios de dualismo em sua fé ou espiritualidade? O dualismo influencia a forma como você lê a Bíblia e entende o evangelho?
3. Qual é a maior dificuldade para você aceitar sua existência encarnada? O que ganhamos ao fazê-lo e quais são os riscos?

7. Pecado e queda

1. Que tensões centrais estão presentes em sua vida? De que maneira você reage a elas? Descreva.
2. Como você, ou a comunidade da qual você faz parte, entende a queda? Que papel ela desempenha em seu entendimento da Bíblia?
3. Como você enxerga a asserção do judaísmo de que a obediência aos mandamentos de Deus é possível? Quais são as implicações dessa asserção?

8. Sábado

1. Você guarda um dia de descanso? De que maneira esse conceito se reflete em sua prática e o que ele significa para você?
2. Para você, silêncio ou quietude demais produz inquietação ansiosa? Em caso afirmativo, como você lida com esse fato?
3. A seu ver, por que Deus descansou no sétimo dia e o que isso significa, possivelmente, para os cristãos?

9. O Espírito

1. Qual é seu conceito geral de liberdade? De que maneira ele norteia sua fé?
2. Como você entende a asserção de que a vinda do Espírito significa algo diferente para judeus e gentios?
3. Em seu parecer, qual é a importância da ligação entre Shavuot e Pentecostes?

10. Dias sagrados

1. Quais são os "dias sagrados" mais importantes de sua vida e espiritualidade? Descreva-os e diga o que significam para você.
2. Sua celebração da Páscoa cristã inclui alguma menção da Páscoa judaica? Em sua comunidade, o que significa (se for o caso) a ligação entre essas duas festas?
3. De que maneira a morte e a vida continuam a coexistir em nosso mundo hoje e como devemos interagir com a presença de ambas? Qual deve ser nossa atitude diante dessa realidade?

11. A ex-esposa de Deus

1. Você já se viu em situações que provocaram forte desnorteamento ou choque cultural? Que impressões essas experiências causaram e como você lidou com elas?
2. De sua perspectiva, o que aconteceu com a aliança de Deus com o povo de Israel depois que Jesus veio?
3. De modo geral, como você entende Efésios 2.11-22? A discussão sobre o supersessionismo cristão e a aliança

expandida de Deus com Israel mudou sua perspectiva acerca dessa passagem?

12. Paulo

1. Pense em uma ocasião em que sua perspectiva a respeito de algo passou por uma mudança considerável. Como você vivenciou o processo e o que estava em jogo?
2. Seu entendimento de Paulo foi norteado pela interpretação tradicional, exemplificada pelo pensamento de Lutero? Em caso afirmativo, o que isso significou para sua teologia pessoal?
3. Que passagens paulinas são mais difíceis de conciliar com a perspectiva de "Paulo dentro do judaísmo"? Que passagens corroboram nitidamente essa perspectiva?

13. Um caminho para prosseguir

1. Para você, o que significa a ideia de lar? É um lugar, um conjunto de memórias e experiências, ou um conceito cujo significado muda de acordo com suas circunstâncias?
2. Que experiências você teve de colaboração entre cristãos e judeus? Você tem interesse em se envolver propositadamente com o povo judeu?
3. Quais são as três coisas principais que você pode levar consigo deste livro? Algum aspecto de sua teologia pessoal foi desafiado, confirmado ou enriquecido?

Glossário de termos judaicos e hebraicos

aliyah: (literalmente, "subida") O regresso de judeus para seu lar ancestral, a terra de Israel. É entendido como "subida" porque a terra de Israel ocupa terreno espiritual mais elevado que as terras da diáspora. Judeus continuam a regressar a Israel desde o exílio no primeiro século, mas, no período moderno, vemos ondas específicas ou movimentos de *alyiah* sionista a partir de 1882.

Amidah: (literalmente, "em pé") Também chamado *Shmona Esreh*, é a outra oração central judaica além do *Shema*. O *Amidah* é recitado três vezes nos dias da semana e consiste em dezenove expressões de bênção pronunciadas silenciosamente enquanto a pessoa permanece em pé, voltada para Jerusalém.

Birkat Hamazon: Orações feitas ao final de uma refeição, com base em Deuteronômio 8.10. As orações abrangem ação de graças a Deus pelo alimento, pela terra de Israel, pela construção da cidade de Jerusalém e pela bondade de Deus.

challah: O nome vem da oferta prescrita de uma porção de qualquer tipo de massa para o sacerdote no período do templo (Nm 15.18-20). Hoje em dia, costuma se referir ao pão preparado especialmente para o Shabbat. Há vários tipos diferentes de *challah*; um deles é o pão doce trançado que se originou entre os judeus do leste europeu. Para as refeições do Shabbat são necessários dois pães, que lembram a porção dupla de maná que caía antes do Shabbat no deserto (Êx 16.22-27).

chametz: Produtos fermentados feitos de cereais. É proibido aos judeus ingerir, ter ou se beneficiar de *chametz* durante os sete dias de Páscoa (oito dias em locais fora de Israel). Portanto, uma parte importante dos preparativos para a Páscoa consiste em procurar *chametz* na casa e entre os pertences da família e livrar-se dele.

chuppah: O dossel de casamento debaixo do qual é realizada a cerimônia. Pode ser feito de qualquer tipo de tecido e é sustentado por quatro varas, uma em cada canto. O *chuppah* representa o lar judaico que o casal construirá. No judaísmo tradicional, a cerimônia é realizada em uma área externa para que acima do *chuppah* esteja apenas o céu.

diáspora: Termo proveniente do grego que significa "espalhado" ou "dispersado" e que veio a se referir aos judeus que vivem fora da terra de Israel. Ver também *galut*.

galut: (pronunciado *golus* em iídiche) O exílio e a dispersão do povo judeu de sua pátria na terra de Israel para a diáspora no meio de outras nações do mundo. Hoje, o povo judeu está dividido quase igualmente entre aqueles que vivem em Israel e aqueles que vivem na diáspora.

Hamotzi: (literalmente, "que faz existir") Uma forma de se referir à bênção pronunciada antes de comer pão. As palavras são: "Bendito és tu, Senhor nosso Deus, Rei do Universo, que da terra produzes pão".

Hanukkah: Uma festa extrabíblica que celebra a reconsagração do templo depois de ser retomado dos selêucidas sob o governo de Antíoco IV Epifânio no segundo século a.C. A festa cai no inverno, no 25º dia do mês hebraico de quisleu, e dura oito dias. Para celebrá-la, é costume acender velas adicionais a cada dia até que oito velas tenham sido acesas; também é costume consumir alimentos fritos em óleo e girar piões de quatro lados chamados *dreidels*. Embora seja uma festa relativamente secundária, recebe bastante atenção especialmente no Ocidente em razão de sua proximidade com o Natal.

Havdalah: (literalmente, "separação") Uma oração breve dita no final do Shabbat, na noite de sábado. A oração usa vinho, especiarias e fogo e serve para distinguir o Shabbat do restante da semana.

kashrut: (literalmente, "próprio", com o sentido de "aceitável" ou "adequado") Leis alimentares seguidas pelos judeus praticantes. Abrangem alimentos permitidos ou proibidos, bem como leis para o preparo e consumo corretos dos alimentos permitidos.

kippah: Um solidéu (pequeno barrete) usado a todo tempo por homens judeus tradicionais e por judeus mais liberais quando vão à sinagoga. Considerado um sinal de reverência por Deus, uma recordação de que Deus está acima de nós.

kittel: Veste branca simples que serve de mortalha e é usada tradicionalmente por alguns homens no Yom Kippur e ao dirigir o *seder* de Páscoa. Também é usada tradicionalmente pelo noivo na cerimônia de casamento para simbolizar pureza.

midrash: Forma clássica de interpretação bíblica judaica que procura um significado mais profundo além do texto literal ao atentar para linguagem, usar alegorias e preencher lacunas textuais.

minyan: Menor grupo de judeus exigido a fim de constituir quórum aceitável para uma oração comunitária. De acordo com o judaísmo tradicional, apenas homens adultos (com mais de 13 anos) contam para formar um *minyan*. Se houver pelo menos dez presentes, a oração comunitária pode ser feita.

mitzvot: (plural; singular: *mitzvah*) Os mandamentos ou leis dados por Deus. Tradicionalmente, o judaísmo afirma que há 613 mandamentos desse tipo; 248 são afirmativos ("farás") e 365 são negativos ("não farás"). Um *mitzvah* também é considerado uma boa ação ou um ato de gentileza de modo geral.

Kaddish do Enlutado: Oração que louva a santidade de Deus, pronunciada por enlutados junto ao túmulo e durante cultos de oração ao longo de onze meses depois do falecimento de um parente de primeiro grau. Depois disso, é recitado anualmente no aniversário do falecimento da pessoa. A oração é em aramaico.

parsha: Trecho semanal da Torá lido em voz alta nas sinagogas ao redor do mundo durante a oração pública. Esses trechos são lidos em sequência ao longo do ano, começando em Gênesis e terminando em Deuteronômio.

Pesach: (Páscoa judaica) A festa bíblica de peregrinação de Pesach celebra a saída do povo judeu do Egito. É proibido consumir produtos fermentados durante a festa de sete dias, de modo que a preparação para o Pesach é caracterizada pela cuidadosa remoção, da casa, de todo o pão e de todos os produtos fermentados. Na primeira noite (ou nas duas primeiras noites) da festa, os judeus realizam uma refeição ritual chamada *seder*, para a qual há prescrições minuciosas; durante essa refeição, é recontada a libertação de Israel da escravidão. Ver *seder*.

sabra: (hebraico: *tzabar*) Termo usado para judeus nascidos em Israel. Essa designação vem dos frutos do cacto opúncia, pois se diz que, como esses frutos, os sabras são duros e espinhentos por fora, mas doces por dentro.

seder: Refeição ritual especial realizada na primeira noite (nas duas primeiras noites fora da terra de Israel) da festa de Páscoa judaica. O nome vem do termo para "ordem" ou "arranjo", pois a refeição segue um ritual bastante específico cujo foco é recontar o êxodo do Egito. É uma refeição animada e participativa, em que cada pessoa pode sentir como se tivesse sido redimida pessoalmente do Egito.

Shabbat: (iídiche: *shabbes*) O sétimo dia semanal de descanso que imita o descanso de Deus no sétimo dia da criação. O Shabbat dura aproximadamente 25 horas, desde o momento em que as velas são acessas ao pôr do sol de sexta-feira até o anoitecer de sábado. É marcado tradicionalmente pela abstenção de certas formas específicas de trabalho criativo, conforme a definição da tradição rabínica; hoje em dia, essa abstenção inclui dirigir e usar dinheiro. Muitos judeus vão à sinagoga orar nesse dia e participam de fartas refeições com familiares e amigos.

Shaharit: Oração formal feita pela manhã. Nos seis dias da semana, é a primeira de três orações formais do dia. *Shaharit* e outras orações formais podem ser realizadas em grupo (com um *minyan*) ou individualmente.

Shavuot: (literalmente, "semanas"; em grego: *pentekoste*) A festa bíblica de peregrinação conhecida como Festa das Semanas, que acontece sete semanas depois da Páscoa. Celebra a dádiva da Torá por Deus ao povo judeu no monte Sinai e é marcada, tradicionalmente, pelo consumo de laticínios, pelo estudo da Torá durante toda a noite e por leituras de Rute.

Shehecheyanu: (literalmente, "quem nos deu vida") Um pronunciamento de bênção feito para agradecer a Deus em ocasiões especiais como festas anuais, acontecimentos importantes do ciclo da vida, o consumo de uma fruta pela primeira vez no ano e o uso de roupas novas de valor.

Shema: Principal oração e declaração de fé judaica cujo nome vem de suas duas primeiras palavras: *Shema Yisrael* ("Ouve, Israel"). Consiste em três passagens bíblicas: Deuteronômio 6.4-9; 11.13-21 e Números 15.37-41. O *Shema* é recitado duas vezes por dia pelos judeus praticantes, e também na hora de dormir.

shiva: (literalmente, "sete") Refere-se ao período de sete dias de luto quando falece um parente de primeiro grau. Durante esse período, tradicionalmente, a pessoa permanece em casa e reflete sobre sua perda, enquanto é consolada por visitantes. Vários costumes são observados durante esses dias, como sentar-se em banquetas baixas, vestir uma peça de roupa rasgada e cobrir os espelhos.

Sukkot: Festa dos Tabernáculos, que dura sete dias. Celebrada no outono, é uma das três festas bíblicas de peregrinação. Para comemorar, são construídos abrigos temporários (*sukkot*) usados como habitação. Os abrigos são feitos com o uso ritual dos "quatro tipos": folhas de palmeiras (*lulav*), de uma árvore de fruta cítrica (*etrog*), de murta (*hadas*) e de salgueiro (*arava*).

tallit: (pronuncia-se *tallis* em iídiche) Xale de oração com quatro cantos com franjas, usado por homens judeus (e por algumas mulheres). Ver *tzitzit*.

Tanakh: A Bíblia hebraica. É uma sigla composta dos termos *Torah* (os Cinco Livros de Moisés), *Nevi'im* (Profetas) e *K'tuvim* (Escritos).

tefillin: (português: "filactérios") São usados por homens judeus adultos (e, menos comumente, por mulheres judias) durante os cultos matinais diários de oração (exceto no Shabbat). Consistem em duas pequenas caixas de couro que contêm versículos bíblicos escritos em pergaminho (especificamente, Êx 13.9,16 e Dt 6.8; 11.18). As caixas são amarradas com tiras; uma caixa é presa à testa e a outra ao antebraço.

tzitzit: (em hebraico, pronuncia-se *tsit-tsit*; iídiche: *tzitzis*) Franjas com nós especiais, ou borlas, usadas pelos judeus desde os tempos antigos até hoje. Ordenadas expressamente em Números 15.37-41 e Deuteronômio 22.12, são costuradas aos quatro cantos de uma veste de uso diário (chamada *tallit katan*) ou aos quatro cantos de um xale de oração (chamado *tallit* ou *tallit gadol*). O número de fios e nós totaliza 613, que corresponde ao número de mandamentos da Torá. Ao olhar para o *tzitzit*, a pessoa é lembrada de obedecer a Deus e seguir seus mandamentos (*mitzvot*).

Yom Kippur: Dia de Expiação, observado anualmente com base em Números 29.7. Nesse dia, judeus fazem jejum de alimentos e bebidas e passam boa parte do tempo na sinagoga, onde há intensa confissão de culpa e orações por perdão. É o único dia do ano marcado por cinco orações formais. É considerado o dia mais importante do ano e é observado pela maior parte dos judeus, não importa quão seculares sejam.

Sionismo: Movimento político moderno que surgiu no século 19 e defende um estado judaico na terra de Israel. Historicamente, houve diversas visões sionistas distintas, com ênfases específicas a respeito do estado judaico.

Notas

Introdução

[1] Ver Mark Kinzer, *Postmissionary Messianic Judaism* (Grand Rapids: Brazos, 2005), p. 198.

Capítulo 1

[1] Essas duas correntes do judaísmo são produto da interseção do judaísmo com a modernidade, e ambas representam formas menos tradicionais de prática judaica. Nem meu pai nem minha mãe cresceram em um lar em que tradições como *kashrut* (leis alimentares judaicas) ou o *Shabbat* eram observadas com rigor, e essas colunas que sustentam a prática tradicional judaica também não fizeram parte de minha formação.

[2] Jennifer M. Rosner, *Healing the Schism: Karl Barth, Franz Rosenzweig, and the New Jewish-Christian Encounter* (Bellingham: Lexham, 2021). Essa obra havia sido publicada anteriormente pela editora Fortress em 2016.

[3] Ver R. Kendall Soulen, *The God of Israel and Christian Theology* (Minneapolis: Fortress, 1996), especialmente a segunda parte.

[4] Ver James Parkes, *The Conflict of the Church and the Synagogue: A Study in the Origins of Antisemitism* (Londres: Macmillan, 1969), p. 394-400.

Capítulo 2

[1] Em geral, "antijudaísmo" é uma aversão à religião judaica, enquanto "antissemitismo" é uma aversão a judeus como grupo racial

ou étnico. O judeu pode evitar o primeiro ao deixar de praticar o judaísmo, mas não há nada que lhe permita escapar do segundo.

[2] *The Essential Luther*, organização e tradução de Tryntje Helfferich (Indianapolis: Hackett, 2018), p. 284-303.

[3] Ver, por exemplo, as obras de Amy-Jill Levine, Mark Nanos, Paula Fredriksen e Pamela Eisenbaum. Trataremos do pensamento de Paulo de modo bem mais detalhado no capítulo 12.

[4] Jeremy Cohen, *Living Letters of the Law: Ideas of the Jew in Medieval Christianity* (Berkley: University of California Press, 1999).

[5] Trechos deste capítulo foram publicados inicialmente em Jennifer M. Rosner, "Messianic Jews and Jewish-Christian Dialogue", in *Introduction to Messianic Judaism: Its Ecclesial Context and Biblical Foundations*, organização de David Rudolph e Joel Willitts (Grand Rapids: Zondervan, 2013), p. 145-55.

[6] David Novak, "What to Seek and What to Avoid in Jewish-Christian Dialogue", in *Christianity in Jewish Terms*, organização de Tikva Frymer-Kensky et al. (Boulder: Westview, 2000), p. 5.

[7] Paul G. Hiebert, "Conversion, Culture and Cognitive Categories", *Gospel in Context* 1, n° 4 (1978): 28.

[8] Ver, por exemplo, Daniel Boyarin, *Borderlines: The Partition of Judaeo-Christianity* (Philadelphia: University of Pennsylvania Press, 2006).

Capítulo 3

[1] No início de minha jornada no judaísmo messiânico, os livros mais importantes para mim foram Kendall Soulen, *The God of Israel and Christian Theology* (Minneapolis: Fortress, 1996), e Mark Kinzer, *Postmissionary Messianic Judaism* (Grand Rapids: Brazos, 2005). Essas duas obras articulam maravilhosamente bem as questões fundamentais da identidade judaica messiânica e o problema da teologia cristã da substituição ao longo da história. Vários anos antes, eu também havia lido Lauren Winner, *Girl Meets God*,

e tinha forte consciência das semelhanças e diferenças entre a jornada de Winner e a minha.

[2] Êxodo 13.9,16; Deuteronômio 6.8; 11.18.

[3] Trechos deste capítulo foram publicados anteriormente em Jennifer Rosner, "'Be Clean': Jesus and the World of Ritual Impurity", *Christianity Today*, 20 de abril de 2021, disponível em: <www.christianitytoday.com/ct/2021/may-june/dishonorable-discharge-jesus-and-world-of-ritual-impurity.html?share=GZrnEtN%2broO%2bb3iAbpc45Ew6Q7exgbGi>.

[4] A descrição por Jesus das ações dos fariseus nesses versículos indica que Jesus também usava *tefillin*.

[5] Matthew Thiessen, *Jesus and the Forces of Death: The Gospels' Portrayal of Ritual Impurity Within First-Century Judaism* (Grand Rapids: Baker Academic, 2020), p. 2.

[6] Ver Mark D. Nanos, *Reading Romans Within Judaism* (Eugene: Cascade, 2018), p. 126-133.

[7] De todo modo, Nanos oferece comentários detalhados sobre a Carta aos Romanos em *Jewish Annotated New Testament*, 2ª ed. (Nova York: Oxford, 2017).

[8] Amy-Jill Levine, *The Misunderstood Jew: The Church and the Scandal of the Jewish Jesus* (Nova York: HarperOne, 2007), p. 19.

[9] Por exemplo, os nazistas criaram um pôster de propaganda com o rosto de Lutero e, ao fundo, uma suástica. A legenda dizia: "A luta de Hitler e o ensino de Lutero são a melhor defesa para o povo alemão". Para um estudo mais detalhado do uso de Lutero por Hitler, ver Christopher J. Probst, *Demonizing the Jews: Luther and the Protestant Church in Nazi Germany* (Bloomington: Indiana University Press, 2012), e <https://sojo.net/articles/nazis-exploited-martin-luther-s-legacy-berlin-exhibit-highlights-how> (acessado em 30 de dezembro de 2020). Convém observar, ainda, que a *Kristallnacht* ocorreu no aniversário de Lutero.

[10] Dallas Willard, *The Spirit of the Disciplines: Understanding How God Changes Lives* (Nova York: HarperOne, 1999), p. xi. [No Brasil,

O espírito das disciplinas: Entendendo como Deus transforma vidas. Rio de Janeiro: Habacuc, 2003.] Willard apresenta uma lista de disciplinas espirituais (entre elas solitude, jejum, estudo, celebração e comunhão) no capítulo 9 de *Spirit of the Disciplines*. Outra excelente fonte sobre as disciplinas espirituais é Richard Foster, *Celebration of Discipline: The Path to Spiritual Growth* (San Francisco: Harper, 2002). [No Brasil, *Celebração da disciplina: O caminho do crescimento espiritual*. São Paulo: Vida, 1997.]

[11] Andy Stanley, *Irresistible: Reclaiming the New That Jesus Unleashed for the World* (Grand Rapids: Zondervan, 2018), p. 245, 146.

[12] Citada em David Van Biema, "Re-Judaizing Jesus", *Time Magazine*, 13 de março de 2008.

Capítulo 4

[1] Trechos deste capítulo foram publicados anteriormente em Jennifer Rosner, "'Be Clean': Jesus and the World of Ritual Impurity", *Christianity Today*, 20 de abril de 2021, disponível em: <www.christianitytoday.com/ct/2021/may-june/dishonorable-discharge-jesus-and-world-of-ritual-impurity.html?share=GZrnEtN%2broO%2bb3iAbpc45Ew6Q7exgbGi>.

[2] A. J. Jacobs, *The Year of Living Biblically* (Nova York: Simon & Schuster, 2007), p. 48-52. [No Brasil, *Um ano bíblico*. Rio de Janeiro: Nova Fronteira, 2019.]

[3] Trechos deste capítulo foram publicados inicialmente em Jennifer M. Rosner, "Jewish Christian Eschatology", in *Heaven, Hell, and the Afterlife: Eternity in Judaism, Christianity, and Islam*, organização de J. Harold Ellens, vol. 1: *End Time and Afterlife in Judaism* (Santa Barbara, CA: Praeger, 2013), p. 127-146 (citado com permissão).

[4] Mark Kinzer, *Israel's Messiah and the People of God: A Vision for Messianic Jewish Covenant Fidelity* (Eugene: Cascade, 2011), p. 96; Abraham Joshua Heschel, *The Sabbath* (Nova York: Farrar, Straus and Giroux, 1951), p. 8, 21 [no Brasil, *O Schabat*, 2ª ed. São Paulo: Perspectiva, 2019]. A narrativa bíblica concretiza essa ligação

ao usar, na construção do tabernáculo/templo, o modelo de seis dias da criação, em que o tabernáculo/templo é o télos da obra de Israel que espelha o sábado como télos da obra de Deus (ver Jon Levenson, *Sinai and Zion: An Entry into the Jewish Bible* [Nova York: HarperOne, 1985], p. 142-145).

[5] *M. Tamid* 7.4; *Genesis Rabbah* 17.5.
[6] Kinzer, *Israel's Messiah*, p. 104.
[7] Ver a liturgia Havdalah completa no capítulo 6.

Capítulo 5

[1] Ver <www.birthrightisrael.com/about-us>.
[2] Hayim Halevy Donin, *To Be a Jew: A Guide to Jewish Observance in Contemporary Life* (Nova York: Basic Books, 1972), p. 13.
[3] Jonathan Sacks, *The Koren Siddur* (Koren: Jerusalem, 2009), p. 218; Mark S. Kinzer, *Jerusalem Crucified, Jerusalem Risen: The Resurrected Messiah, The Jewish People, and the Land of Promise* (Eugene: Cascade, 2018), p. 242.
[4] Ver Deuteronômio 8.10.
[5] Franz Rosenzweig, *The Star of Redemption*, tradução de Barbara E. Galli (Madison: University of Wisconsin Press, 2005), p. 319.
[6] Para uma excelente avaliação e um questionamento dessa incoerência, ver Nicholas Brown, *For the Nation: Jesus, the Restoration of Israel and Articulating a Christian Ethic of Territorial Governance* (Eugene: Pickwick, 2016).
[7] The Boycott, Divestment, Sanctions movement [movimento Boicote, Desinvestimento, Sanções] (ver <www.bdsmovement.net>).
[8] Gerald McDermott, org., *The New Christian Zionism: Fresh Perspectives on Israel & the Land* (Downers Grove: IVP Academic, 2016).
[9] Joel Willitts, "Zionism in the Gospel of Matthew", in *The New Christian Zionism*, organização de Gerald McDermott, p. 109. Ver também Joel Willitts, *Matthew's Messianic Shepherd-King: In Search of "The Lost Sheep of the House of Israel"* (Berlim: De Gruyter, 2008), especialmente o cap. 6.

[10] Willitts, "Zionism in the Gospel of Matthew", p. 110-111.
[11] Willitts, "Zionism in the Gospel of Matthew", p. 111.
[12] Ver Gerald R. McDermott, *Israel Matters: Why Christians Must Think Differently About the People and the Land* (Grand Rapids: Brazos, 2017), p. 29-30. [No Brasil, *A importância de Israel: Por que o cristão deve pensar de maneira diferente em relação ao povo e à terra*. São Paulo: Vida Nova, 2018.]
[13] Kinzer, *Jerusalem Crucified*, p. 10.
[14] O sionismo é um movimento nascido no final do século 19 e, embora variegado, tinha como centro a volta do povo judeu a sua pátria nacional. Hoje, seu foco é o desenvolvimento e a proteção do estado de Israel. Como o sionismo, o antissionismo existe em diversas formas, todas contrárias às ações políticas (e, em alguns casos, à própria existência) do estado de Israel. De acordo com o estudioso Robert S. Wistrich, o antissionismo se tornou a mais perigosa e eficaz forma de antissemitismo de nosso tempo, por meio de deslegitimação, difamação e depreciação sistemáticas de Israel. Embora as conclamações para desmantelar o estado judaico não sejam, *a priori*, antissemitas, quer venham de muçulmanos, da esquerda ou da direita racial, elas se apoiam cada vez mais em uma estereotipagem antissemita de temas clássicos como o "*lobby* judaico" manipulador, a "conspiração mundial" judaica/sionista e os "mercadores da guerra" judeus/israelenses (Robert S. Wistrich, *Jewish Political Studies Review* 16:3-4 [outono de 2004]).

Capítulo 6

[1] Trechos deste capítulo foram publicados anteriormente em Jennifer Rosner, "'Be Clean': Jesus and the World of Ritual Impurity", *Christianity Today*, 20 de abril de 2021, disponível em: <www.christianitytoday.com/ct/2021/may-june/dishonorable-discharge-jesus-and-world-of-ritual-impurity.html?share=GZrnEtN%2broO%2bb3iAbpc45Ew6Q7exgbGi>.

² Daniel Boyarin, *Carnal Israel: Reading Sex in Talmudic Culture* (Berkley: University of California Press, 1993), p. 5.

³ Muitos pensadores cristãos estão reconsiderando a ideia de "alma destacável". Ver, por exemplo, Joel Green, *Body, Soul, and Human Life: The Nature of Humanity in the Bible* (Grand Rapids: Baker Academic, 2008), e Nancey Murphy, *Bodies and Souls, or Spirited Bodies?* (Cambridge: Cambridge University Press, 2006).

⁴ Dallas Willard, *The Spirit of the Disciplines: Understanding How God Changes Lives* (Nova York: HarperCollins, 1988), p. 31 (grifo da autora). [No Brasil, *O espírito das disciplinas: Entendendo como Deus transforma vidas*. Rio de Janeiro: Habacuc, 2003.]

⁵ Para um belo estudo da distinção entre o céu e a nova criação, ver N. T. Wright, *Surprised by Hope: Rethinking Heaven, the Resurrection, and the Mission of the Church* (Nova York: HarperOne, 2008). [No Brasil, *Surpreendido pela esperança*. Viçosa: Ultimato, 2009.]

⁶ *Pirkei Avot* 2.16.

⁷ Adaptado de Loren Eiseley, *The Star Thrower* (Chicago: Mariner, 1979), p. 169-185.

Capítulo 7

¹ Ver <www.yachad-beyeshua.org/documents>.

² Minha dissertação foi publicada como *Healing the Schism: Karl Barth, Franz Rosenzweig, and the New Jewish-Christian Encounter* (Bellingham: Lexham, 2021). Havia sido publicada anteriormente pela Fortress em 2016.

³ Quando eu estava fazendo o doutorado, escrevi um artigo sobre o contraste entre os conceitos cristãos e judaicos de pecado e redenção, com enfoque nos textos de Karl Barth e Franz Rosenzweig, figuras teológicas centrais em minha dissertação. O artigo está disponível em <https://tjjt.cjs.utoronto.ca/wp-content/uploads/2013/11/Jennifer-M.-Rosner-Inward-Outward-Upward-Downward-Repentance-and-Redemption-in-the-Thought-of-Karl-Barth-and-Franz-Rosenzweig-JJT-Vol.-2.pdf>.

⁴ John Calvin, *Institutes of the Christian Religion*, organização de John T. McNeill, tradução de Ford Lewis Battles (Louisville: Westminster John Knox, 1960), tomo II, p. 246. [No Brasil, *As institutas*. São Paulo: Cultura Cristã, 2006.] Embora o posicionamento agostiniano-reformado descrito aqui seja, de fato uma (a?) narrativa predominante no cristianismo ocidental, é importante observar que há outras perspectivas bastante conhecidas desses conceitos. Ver um panorama útil da gama de perspectivas em *Original Sin and the Fall: Five Views*, organização de J. B. Stump e Chad Meister (Downers Grove: IVP Academic, 2020).

⁵ Calvin, *Institutes*, tomo II, p. 248.

⁶ Veja *Genesis Rabbah* 9.7. *Midrash* é uma tradição antiga (e ainda em vigor) de comentário judaico sobre passagens do texto bíblico.

⁷ Ver <www.yachad-beyeshua.org>.

⁸ Jean-Marie Lustiger, *Dare to Believe: Addresses, Sermons, Interviews, 1981–1984* (Nova York: Crossroads, 1986), p. 91.

⁹ É digno de nota que Wyschogrod discorda de David Novak, de cujo pensamento tratamos no capítulo 2, pois Wyschogrod confirma a capacidade de Lustiger de ser judeu e, ao mesmo tempo, cristão.

¹⁰ Michael Wyschogrod, *Abraham's Promise: Judaism and Jewish-Christian Relations*, organização de R. Kendall Soulen (Grand Rapids: Eerdmans, 2004), p. 206.

¹¹ Wyschogrod, *Abraham's Promise*, p. 207-208.

¹² Ver Maria Rosa Menocal, *The Ornament of the World: How Muslims, Christians, and Jews Created a Culture of Tolerance in Medieval Spain* (Nova York: Back Bay Books, 2002). [No Brasil, *O ornamento do mundo: Como muçulmanos, judeus e cristãos criaram uma cultura de tolerância na Espanha medieval*. Rio de Janeiro: Record, 2004.]

Capítulo 8

¹ Abraham Joshua Heschel, *The Sabbath: Its Meaning for Modern Man* (Nova York: Farrar, Straus and Giroux, 1951), p. 6. [No Brasil,

O Schabat: Seu significado para o homem moderno. São Paulo: Perspectiva, 2000.] Convém destacar as palavras de Heschel: "O dever de trabalhar seis dias faz parte da aliança de Deus com o ser humano tanto quanto o dever de abster-se de trabalhar no sétimo dia" (p. 28).

[2] Heschel, *Sabbath*, p. 10.
[3] Heschel, *Sabbath*, p. 20.
[4] Heschel, *Sabbath*, p. 29.
[5] *M. Tamid* 7.4.
[6] Heschel, *Sabbath*, p. 18.
[7] Heschel, *Sabbath*, p. 16-17.
[8] Para mais detalhes sobre a mudança do sábado para o domingo, ver *From Sabbath to Lord's Day: A Biblical, Historical and Theological Investigation*, organização de D. A. Carson (Eugene: Wipf & Stock, 2000). [No Brasil, *Do Shabbath para o dia do Senhor*. São Paulo: Cultura Cristã, 2006.] Ver também Samuele Bacchiocchi, *From Sabbath to Sunday: A Historical Investigation of the Rise of Sunday Observance in Early Christianity* (Roma: Pontifical Gregorian University Press, 2014).
[9] *Epístola de Barnabé* 15.9.
[10] Peter Hocken desenvolve essa argumentação de forma incisiva em *Azusa, Rome, and Zion: Pentecostal Faith, Catholic Reform, and Jewish Roots* (Eugene: Pickwick, 2016), especialmente o cap. 10.

Capítulo 9

[1] Trechos deste capítulo foram publicados anteriormente em Jennifer Rosner, "'Be Clean': Jesus and the World of Ritual Impurity", *Christianity Today*, 20 de abril de 2021, disponível em: <www.christianitytoday.com/ct/2021/may-june/dishonorable-discharge-jesus-and-world-of-ritual-impurity.html?share=GZrn EtN%2broO%2bb3iAbpc45Ew6Q7exgbGi>. Depois disso, fui coautora de um livro que apresenta as perspectivas contrastantes daquilo que a vinda do Espírito significa em relação à observância da Torá para os seguidores judeus de Jesus. Ver Joshua M. Lessard

e Jennifer M. Rosner, *At the Foot of the Mountain: Two Views on Torah and the Spirit* (Eugene: Resource Publications, 2021).

² Ver Mark S. Kinzer, *Postmissionary Messianic Judaism: Redefining Christian Engagement with the Jewish People* (Grand Rapids: Brazos, 2005), especialmente os caps. 2—4.

³ Para um comentário profundamente refletido sobre uma definição singularmente hebraica de liberdade, ver Jonathan Sacks, "The Omer and the Politics of Torah", in *The Jonathan Sacks Haggadah* (Jerusalém: Koren, 2013).

⁴ Rabbi Hayim Halevy Donin, *To Be a Jew* (Nova York: Basic Books, 1972), p. 240 (grifo da autora).

⁵ Trechos deste capítulo foram publicados inicialmente em Jennifer M. Rosner, "Jewish Christian Eschatology", in *Heaven, Hell, and the Afterlife: Eternity in Judaism, Christianity, and Islam*, organização de J. Harold Ellens, vol. 1: *End Time and Afterlife in Judaism* (Santa Barbara, CA: Praeger, 2013), p. 127-146 (citado com permissão).

⁶ Conforme ordenado em Levítico 23.42-43, um dos aspectos centrais dessa festa é morar "durante sete dias [...] ao ar livre em pequenas cabanas" a fim de recordar os abrigos temporários em que o povo judeu morou depois do êxodo do Egito. Para muitos judeus, geralmente isso significa fazer refeições em um *sukkah* construído para essa ocasião; alguns judeus (entre eles Yonah, que ama acampar) também dormem no *sukkah*.

⁷ Stan Telchin, *Betrayed! How Do You Feel When You Are Successful, 50 and Jewish, and Your 21-Year-Old Daughter Tells You She Believes in Jesus?* (Grand Rapids: Chosen, 1982). [No Brasil, *Traído! Como você sentiria se tivesse 50 anos, fosse bem-sucedido, judeu, e sua filha de 21 anos contasse para você que estava crendo em Jesus?* São José dos Campos: CLC, 1987.]

Capítulo 10

¹ Franz Rosenzweig, *The Star of Redemption*, tradução de Barbara E. Galli (Madison: University of Wisconsin Press, 2005), p. 345.

²Meus sinceros agradecimentos a Michael Stone por sua colaboração neste capítulo.
³Posteriormente, no Concílio de Antioquia, em 341 d.C., foi decretado que quaisquer cristãos que desobedecessem a essa determinação e celebrassem a Páscoa com os judeus seriam "excluídos da Comunhão e banidos da Igreja".

Capítulo 11

¹ Esse é um trecho de uma oração chamada "Ana Bakoach", recitada como parte da liturgia judaica tradicional de Shabbat na noite de sexta-feira.
² R. Kendall Soulen, *The God of Israel and Christian Theology* (Minneapolis: Fortress, 1996), p. ix.
³ Soulen, *God of Israel*, p. 16.
⁴ Soulen, *God of Israel*, p. 1-2.
⁵ Soulen, *God of Israel*, p. 109.
⁶ Soulen trata dessa questão em suas obras posteriores, especialmente no ensaio "The Standard Canonical Narrative and the Problem of Supersessionism", in *Introduction to Messianic Judaism: Its Ecclesial Context and Biblical Foundations*, organização de David Rudolph e Joel Willitts (Grand Rapids: Zondervan, 2013), p. 282-291.
⁷ Apresento aqui uma versão ligeiramente modificada da Tree Life Version (TLV). Essa é uma passagem notadamente difícil de traduzir; para uma explicação sobre as questões associadas a essa dificuldade, ver Mark Kinzer, *Searching Her Own Mystery: Nostra Aetate, the Jewish People, and the Identity of the Church* (Eugene: Cascade, 2015), p. 74-77; e *Postmissionary Messianic Judaism: Redefining Christian Engagement with the Jewish People* (Grand Rapids: Brazos, 2005), p. 165-171.
⁸ Markus Barth, *Ephesians 1—3* (Garden City: Doubleday, 1974), p. 337.

Capítulo 12

[1] *Peyos* significa, literalmente, "lados" ou "bordas" e se refere às madeixas ou cachos dos lados da cabeça usados por muitos homens judeus ortodoxos como aplicação prática de Levítico 19.27, que diz: "Não cortem o cabelo dos lados da cabeça nem raspem a barba rente à pele".

[2] Para uma excelente (embora não inteiramente atualizada) visão panorâmica desses desdobramentos nos estudos acadêmicos de Paulo, ver Magnus Zetterholm, *Approaches to Paul: A Student's Guide to Recent Scholarship* (Minneapolis: Fortress, 2009).

[3] Essa característica dos estudos de "Paulo dentro do judaísmo" é especialmente relevante para o conceito de Mark Kinzer de "eclesiologia bilateral".

[4] David Novak, "What to Seek and What to Avoid in Jewish-Christian Dialogue", in *Christianity in Jewish Terms*, organização de Tikva Frymer-Kensky et al. (Boulder: Westview, 2000), p. 5.

Capítulo 13

[1] Chabad-Lubavitch é um movimento judaico ortodoxo e uma organização que focaliza especialmente o auxílio ao povo judeu. Chabad envia emissários aos quatro cantos do mundo com o objetivo de alcançar judeus e trazê-los para mais perto do judaísmo.

[2] Ver, por exemplo, a Declaração de Willowbank da Sociedade Evangélica Mundial (publicada em 1989) e a Declaração de Berlim da Aliança Evangélica Mundial (publicada em 2008).

[3] O termo *intifada* significa "insurreição" em árabe e é usado para descrever fortes ondas de tensão entre palestinos e o estado de Israel. A Primeira Intifada ocorreu no final da década de 1980 e terminou com a assinatura dos Acordos de Oslo, em 1993. A Segunda Intifada teve início em setembro de 2000 em resposta à visita provocativa de Ariel Sharon ao Monte do Templo. Muitos começaram a se referir ao período descrito aqui, que teve início em julho de 2014, como Terceira Intifada.

⁴ Jennifer M. Rosner, *Healing the Schism: Karl Barth, Franz Rosenzweig and the New Jewish-Christian Encounter* (Bellingham: Lexham, 2021), p. 3.
⁵ Rosner, *Healing the Schism*, p. 247-248.
⁶ Franz Rosenzweig, *The Star of Redemption*, tradução de Barbara E. Galli (Madison: University of Wisconsin Press, 2005), p. 418.

Epílogo

¹ Ver David Rudolph, "Guidelines for Healthy Theological Discussion", in *The Borough Park Papers. Symposium I: The Gospel and the Jewish People* (Clarksville: Messianic Jewish Publishers, 2012), p. 7-14; William Isaacs, *Dialogue: The Art of Thinking Together* (Nova York: Currency, 1999), p. 98-9.
² Essa tarefa, uma de minhas prediletas, foi inspirada pelo "evangelho em uma frase" de Kendall Soulen em *The God of Israel and Christian Theology* (Minneapolis: Fortress, 1996), p. 157.
³ Sou grata a meu amigo frei David Neuhaus por esclarecer essa questão para mim de modo mais profundo.

Compartilhe suas impressões de leitura, mencionando o título da obra, pelo e-mail **opiniao-do-leitor@mundocristao.com.br** ou por nossas redes sociais

Esta obra foi composta com tipografia Palatino
e impresso em papel Pólen Natural 70 g/m² na gráfica Imprensa da Fé